KB075671

물이 깊어도 길은 있나니

풀이 깊어도 길은 있나니

발 행 | 2023년 06월 20일
저 자 | 이남곤
펴낸이 | 한건희
펴낸곳 | 주식회사 부크크
출판사등록 | 2014.07.15.(제2014-16호)
주 소 | 서울특별시 금천구 가산디지털1로 119 SK트윈타워 A동 305호
전 화 | 1670-8316
이메일 | info@bookk.co.kr

ISBN | 979-11-410-3237-1

풀이 깊어도 길은 있나니

이남곤 지음

CONTENT

머리말

 인간의 오만과 탐욕으로 2019년 12월 중순 이후부터 시작된 코로나 한파는 우리 삶의 존재 방식을 뒤흔들었습니다. 교육 또한 예외일 수 없어 학생, 학부모, 교직원들은 난생처음 겪는 코로나 환란에 교육의 방향을 잃고 허둥대었습니다.

 잠시 혼란은 있었으나 곧 온라인과 등교 개학이라는 교육공동체 특유의 지혜로 전대미문의 '코로나'라는 비바람을 뚫고서 미약하나마 교육활동의 싹을 새롭게 피워 올리기 시작했습니다. 《풀이 깊어도 길은 있나니》는 온라인과 등교 개학이라는 시대적·교육적 총체적 난국의 상황 속에서 어렵게 싹틔우고 꽃피우며 열매를 맺게 된 그 결과물입니다.

 인공지능, 빅데이터, 사물인터넷, 블렌디드 수업으로 특징지어지는 현대교육은 우리 10대들에게 자연과의 접촉을 통한 자연스러운 앎의 과정과 생태적 감수성을 도외시한 채 지식만 넘쳐나는, 앎의 실천과는 동떨어진 교육을 강요하고 있습니다. 학교, 학원, 집으로 이어지는 네모난 공간 속 단절된 생활만으로는 아이들의 본래 타고난 개성과 자유분방함, 창의성을 키워줄 수 없습니다.

 10대들의 본래 타고난 개성과 창의성, 자연에 대한 감수성

및 생태 소양을 길러주고 진로에 대한 고민을 풀어 주며 문해력 및 평생학습의 기반을 마련해 주기 위한 한 방편으로 우리 고전에서 그 실마리를 찾으면 어떨까 하는 생각을 하게 되었습니다.

우리 선조들은 앎과 자연과 분리된 삶을 살지 않았습니다. 배운 지식을 실천하고자 노력했고 제대로 실천하지 못했을 경우 철저한 자기반성과 성찰을 거쳐 다시 실천하고자 했습니다. 삶을 헤쳐 나감에 있어서 길이 막히거나 곤란한 처지에 놓이게 되었을 때 벼슬을 내려놓고 고향으로 돌아가 하늘과 자연을 벗하며 다시 길을 묻고, 후학(後學)을 기르며 자신을 바로 세우고자 노력하였습니다.

현재의 우리 10대들은 이성 문제, 배움의 문제, 진로·진학 문제, 친구 관계, 부모와의 갈등, 마음 다스림의 문제 등 여러 고민들이 많습니다. 이 글이 이들의 혼란스럽고 불안한 마음에 자그마한 등불과 안내서가 되었으면 하는 바람을 가져 봅니다.

이 글은 전임교, 원적교 학생 및 위탁생과 수업한 내용을 글로 엮었습니다. 함께 한 학생들에게 고마운 마음을 전합니다.

부디 하늘과 자연, 사람에게서 나의 인생길에 대한 고민을 묻고 풀어나가며 당당하게 자기 인생의 주인으로 살아가는 삶을 살기를 기원합니다.

좀 더 다양한 글을 깊이 있게 공부하고자 하는 10대들은 책 말미의 <참고문헌>과 블로그 <조화롭게, 지구공동체 사랑(blog.naver.com/now0815》,브런치 (brunch.co.kr/@now0815)를 참고하시면 되겠습니다. 고맙습니다.

추천글

 최근 캐나다 동부지역에 발생한 산불이 한반도의 40%에 달하는 면적을 불태우며 서진하고 있다는 뉴스를 보았습니다. 환경오염에 따른 기후 위기로 산불, 미세먼지, 폭염, 폭우, 전염병 확산 등 각종 자 연재난이 최근 수십년간 수시로 발생하고 있음을 인터넷, SNS, 뉴스 등을 통해 심심치 않게 들립니다. 이 모든 사태의 원인은 나의 이익을 위해 다른 우주 만물을 해치거나 이들을 마음대로 이용하고 희생해도 괜찮다는 철저한 자기 위주의 이기심에서 생겨난다고 해도 과언이 아닙니다. 그야말로 생명 위기를 자초하는 시대에 우리는 살고 있습니다.

 각국에서 탄소제로, 탄소중립을 외치곤 하지만 국익 앞에서는 허울뿐인 구호이며 미봉책임을 우리는 잘 알고 있습니다. 이제는 흙과 물, 풀벌레, 새소리, 나무의 생장에 귀 기울이며 공감과 실천을 잘할 수 있는 힘을 길러야 할 때인 것 같습니다. 예전에 보았던 <매트릭스>란 영화가 생각납니다. 인류는 한 지역의 모든 자원을 소비해버린 뒤 이동하는 바이러스와 같다는 대사가 마음을 아프게 찌르며 스스로와 인류 문명을 다시금 돌아보게 합니다.

<풀이 깊어도 길은 있나니>는 오늘날 기후, 문명, 생명, 생태

위기의 시대에 길을 잃고 살아가는 청소년들에게 시의적절한 맞춤형 처방 고전이라 할 수 있습니다. 고전 중에서도 우리 고전은 한국인의 정서에 걸맞는 수많은 이야기와 삶의 길과 결을 담고 있으며 우리 교육원의 "결 따라 꿈을 키워, 더불어 꽃 피우자!"라는 비전과도 결을 같이하고 있습니다. 지구가 위기이듯 우리 청소년들 또한 다양한 배경으로 아파하고 힘들어하며 부적응하고 있습니다. 이 글이 기후, 문명, 생명, 생태 위기를 살아가고 겪어내고 있는 학생, 학부모님, 동료 교직원들에게 앎과 삶이 일치하는 작은 희망의 촛불이 될 수 있길 바라며 일독을 권합니다.

-낙동강학생교육원 칠북분원장

1. 산중 생활의 깨달음

心虛則澄(심허즉비)	마음을 비우면 정신이 맑아지고
坐定則靜(좌정즉정)	바르게 앉으면 정신이 고요해지네
寡言希聽(과언희청)	말을 적게 하고 듣는 것도 적게 하여
存神保命(존신보명)	정신을 유지하고 목숨을 보존하네
委身寂然(위신적연)	몸은 고요한 상태로 놔두고
委心洞然(위심동연)	마음은 탁 트인 상태로 놔두고
委世混然(위세혼연)	세상은 태초의 상태로 놔두고
委事自然(위사자연)	일은 자연스러운 상태로 놔두어야 하네
諸病皆可醫(제병개가의)	여러 병들이야 고칠 수 있지만
惟俗不可醫(유속불가의)	속됨만은 고칠 수 없네
醫俗者(의속자)	속됨을 없애는 것은
唯有書(유유서)	오직 독서뿐이네
惟讀書(유독서)	글 읽기는
有利而無害(유리이무해)	이로움만 있을 뿐 해로움이 없네
愛溪山(애계산)	산과 내를 사랑하는 것은
有利而無害(유리이무해)	이로움만 있을 뿐 해로움이 없네
玩花竹(완화죽)	꽃과 대나무와
風月(풍월)	바람과 달을 감상하는 것은
有利而無害(유리이무해)	이로움만 있을 뿐 해로움이 없다
端坐靜默(단좌정묵)	단정히 앉아 고요히 묵념하는 것은

有利而無害(유리이무해)[1] 이로움만 있을 뿐 해로움이 없네

-신흠, 〈야언(野言, 들녘의 노래)〉 중에서

신흠의 이 글을 읽으니 어떤 생각이 드나요? 마음과 몸을 속되게 하지 않고 바르고 올곧게 가져야 한다는 생각이 들지 않는지요? 일이나 공부가 뜻대로 되지 않는다고 해서 끙끙대며 억지로 바로잡으려 하기보다는 '자연스러운 상태'로 두다 보면 언젠가는 깨달음이 생기지 않을까요?

나를 이롭게 하는 길에는 네 가지가 있다고 지은이

---

1)   心마음(심),虛빌(허),則하면(즉),澄맑을(징),坐앉았다(좌),定바로잡을(정),則하면(즉),靜고요할(정)
   寡적다(과),言말(언),希드물(희),聽들을(청),存있을(존),神정신(신),保지킬(보),命목숨(명)
   委맡길(위),身몸(신),寂고요할(적),然상태(연),委맡길(위),心마음(심)洞트일(통),然상태(연)
   諸여러(제),病병(병),皆모두(개),可할 수 있을(가),醫고칠(의)
   惟오직(유),俗속될(속),不없을(불),可할 수 있을(가),醫고칠(의)
   醫고칠(의),俗속될(속),者것(자),唯오직(유),有있을(유)書책,글(서)
   惟오직(유),讀읽을(독),書책(서),有있을(유),利이로움(리),而이나(이),無없을(무),害해로움(해)
   愛사랑할(애),溪시내(계),山산(산),玩즐길(완),花꽃(화),竹대(죽),風바람(풍),月달(월)
   端바르게할(단),坐앉을(좌),靜고요할(정),默말없을,잠잠할(묵)

- 7 -

는 말합니다. 나의 거친 행동과 말을 바로잡을 수 있는 '독서'가 그 첫 번째입니다. '산과 계곡을 사랑하는 일'이 두 번째, 꽃과 대나무, 바람과 달을 깊이 음미하는 일이 세 번째, 끝으로 단정히 앉아 명상하는 일이 네 번째입니다.

우리는 책을 왜 읽을까요? 책을 읽는 행위 자체는 겉으로 보았을 때는 침묵이 뒤따릅니다만 머릿속은 글을 쓰신 분의 생각과 체험을 부지런히 따라가게 됩니다. 글을 읽다가 내 마음에 꼭 맞는 구절이 있게 되면 '아'하고 감탄 소리가 나도 모르게 나오게 되지요. 혹은 본래 알고 있었던 생각들을 작가의 표현을 통해 다시 깨우치게 되는 일들도 생기곤 합니다. 책을 읽는 행위는 내 생각은 잠시 접어두고 작가의 모범적인 삶을 내 마음에 되새기고 실천하기 위한 준비과정이기도 합니다. 나의 선한 의지를 다시 깨우는 과정이기도 합니다.

우리가 산과 계곡을 사랑해야 하는 이유는 무엇일까요? 주말이면 산과 계곡을 찾는 이유는 무엇인지요? 떠들썩하고 분잡한 도시 생활에서 잠시 벗어나 내 몸을 힘들게 하면서까지 묵묵히 산을 오르며 주변의 경치, 새소리, 물소리를 경청하고 나무 그늘에서 쉬기도 하며 나무 냄새, 흙냄새를 맡다 보면 잠자고 있던 우리 내면의 순수함과 맑은 정신을 일깨워주기 때문이 아닐까요?

지금 이 글을 쓰고 있는 시기는 봄입니다. 꽃과 대나무, 봄바람과 달을 찾는 이유는 무엇일까요? 바쁜 학교생활과 학원 생활에 쫓기다 보면 꽃이나 나무, 바람과 달을 눈여겨봐야지 하는 마음조차 없어지곤 합니다. 우리가 왜 이런 자연물을 마음에 두고 천천히 감상해야 하는 걸까요? 왜 우리는 평소 자연을 곁에 두고도 잘 인식하지 못하는 것일까요? 주변이 밝아지기 시작하는 새벽, 별과 달이 뜨는 한밤중에 이들을 쳐다보고 있는 나의 마음은 어떤지요? 이름 모를 풀과 꽃, 나무들을 쳐다보고 있으면 나의 내면은 어떻게 달라지겠는지요?

책을 읽고 자연물을 사랑하며 감상하는 일의 가장 밑바탕에는 '지금 이 순간 내 삶이 어디로 흘러가고 있는지', '내가 하고 싶은 일은 무엇인지' '나는 세상에 왜 태어났는지'에 대한 물음이 있어야 하지 않을까 생각해 봅니다. 그것이 명상이 되었든 가벼운 산책이나 산행이든 존재의 이유에 대해 끊임없이 스스로 묻고 답하며 길을 찾는 행위가 나를 이롭게 하며 주위 생명과 대자연을 아름답게 하는 길이자 지혜가 아닐까 생각해 봅니다. 신흠도 이런 점들을 고민하고 실천하고자 산중 생활을 기쁜 마음으로 자처한 건 아닐까요?

10대 생각

• 나에게 이로운 것은 독서이다. 지식을 얻을 수 있고 나를 편안하게 만들어 주기 때문이다. 독서를 하면 머리가 맑아지고 나의 거친 행동과 말을 바로잡을 수 있다. 이제부터 마음을 비우고 바른 행동을 하기 위해 독서를 꾸준히 실천해야겠다.

• 생각을 너무 많이 하는 것은 몸과 마음에 전적으로 좋은 것은 아니라는 것을 깨달았다. 근본적인 요점을 찾아 일상의 일을 해결하고 '자연스러운 상태'에 젖어들 수 있는 요령을 찾아보야겠다고 생각했다.

• 적당한 운동과 독서가 가장 나에게 이로운 것 같다. 생각을 행동으로 옮길 수 있는 능력을 키워주기 때문이다.

• 독서와 일기 쓰기를 생활화해야겠다. 독서는 지식을 늘려주고 일기는 자기성찰에 이롭기 때문이다.

• 책 많이 읽기, 진로 생각하기, 운동하기, 밥 잘 먹기,

눈 건강 약 먹기, 행동 조심하기 등이 나에게 유익한 일이라고 생각한다.

• 속됨을 없애려거면 독서가 꼭 필요하다는 것을 알게 되었다. 마음과 몸을 항상 바르게 가지고 어떤 일이든 할 수 있다는 마음가짐으로 임해야겠다는 생각을 하게 되었다.

• 우울하거나 생각이 복잡할 때 명상하는 시간을 가져 마음을 정리하는 습관을 들이는 일이 나에게 이롭고도 중요한 일인 것 같다.

• 어떤 일을 할 때 뜻대로 잘되지 않을 때는 여유를 갖고 기다렸다가 해야 됨을 알게 되었다. 그리고 짜증이 날 때는 명상을 하는 것이 도움이 되는 것 같다.

• 매일 10분 운동으로 체력을 키울 수 있어 건강에 이롭고 일주일에 한두 번씩 일기 쓰기 또한 그간의 내가 한 일에 대해 성찰할 수 있어서 이롭다.

• 나에게 이로운 일은 매일 아침 일찍 일어나는 것과

책 읽기 그리고 자연을 보호하는 일이다. 이를 실천하기 위해서는 밤에 일찍 자고 책을 많이 읽으며 자연에 더욱 더 관심을 가지려는 노력을 기울여야 한다.

♣ 나를 돌아보는 물음

1. 나에게 도움이 되는 일에는 어떤 것들이 있을까요?
2. 나에게 도움이 되는 일을 실천하기 위해 여러분은 어떤 노력을 기울인 건지요?

2. 제때에 하지 않으면

行不及時後時悔(행불급시후시회)
행동을 제때에 하지 않으면 뒤처졌을 때 후회하고
事不始審僨時悔(사불시심분시회)
일을 처음에 살피지 않으면 그르쳤을 때 후회하고
農不務勤穡時悔(농불무근색시회)2)
농사에 힘쓰지 않으면 수확할 때 후회한다

-이익(李瀷, 1681~1763), 〈육회명(六悔銘)3)〉

   명(銘)이란 자신에 대한 경계·타인의 공적 축송(祝頌)·사물의 내력·돌아가신 분의 일생 등을 금석·기물·비석 따위에 기록하는 한문 문체를 말합니다. 위글은 조선 중기 실학을 집대성한 성호 이익이 여섯 가지 후회

---

2) 行행동(행),不못할(불),及미칠(급),時때(시),後뒤쳐질(후),時때(시),悔후회할(회)
   事일(사),不않을(불),始처음(시),審살필(심),僨실패할(분),時때(시),悔후회할(회)
   農농사(농),不않을(불),務힘쓸(무),勤부지런할(근),穡거둘(색),時때(시),悔후회할(회)
3) 六여섯(륙),悔후회(회),銘새길,한문 문체의 하나(명)

할 점에 대해 생각[육회명(六悔銘)] 중 그 일부분입니다. 이념 위주의 주자학에서 벗어나 실학은 우리 일상에 도움이 되는 학문과 그 실천을 강조합니다. 이익 그 자신이 성찰한 내용처럼 우리 인류와 지구 생명공동체에게 지금 가장 시급한 일은 무엇일까요?

P4G(Partnering for Green Growth and the Global Goals 2030 : 녹색성장 및 글로벌목표 2030을 위한 연대)는 국가 정상, 국제기구 수장, 기업 대표, 학계 및 시민단체 인사 등이 참여하는 국제적인 정상회의입니다. 이에 발맞춰 2021 P4G 정상회의를 서울에서 개최하게 되었고 주제는 **'포용적인 녹색회복을 통한 탄소중립 비전 실현'**이며 그 내용으로는 식량·농업, 물, 에너지, 도시, 순환경제 등을 들 수 있습니다.

늦은 감이 있지만 '식량·농업, 물, 에너지, 도시, 순환경제 등'에 대해 세계 주요 각국의 주요 인사들이 관심을 가지고 의제로 다루는 것은 환영받을 만한 일입니다.

기후 위기로 인한 인류를 포함한 생태종이 심각한 위

협을 받고 있는 현 상황에서 식량과 농업, 순환 경제는 얼마나 자주적, 자립적, 자급적으로 접근하고 있는 지 많은 의문이 드는 것 또한 사실입니다.

어제 뉴스를 보니 서울을 포함한 수도권 지역은 폐플라스틱을 비롯한 각종 쓰레기를 더 이상 매립할 지역이 없다고 합니다. 저를 포함하여 우리는 환경에 대해 얼마만큼의 위기 위기의식을 가지고 있을까요?

오늘도 아침 일찍 학교에 출근하면서 집집마다 놓인 쓰레기봉투들을 보면서 '이 쓰레기들은 다 어디로 갈까'하는 씁쓸한 마음이 들었습니다.

일회용품의 사용, 농민을 배제한 농정 정책, 환경 정책도 문제이지만 우리 시민들 스스로가 우리가 사용하고 있는 물, 자원 문제, 먹거리 문제, 쓰레기 배출의 양과 질의 문제, 에너지 사용과 재사용 문제 등에 대해 심각하게 고민하고 반성하며 자연 친화적이고도 대안적인 삶의 방식을 더 늦기 전에 시작하고 추구해야 할 것 같습니다

10대 생각

- 자연에 대해 감사하게 생각하고 자연을 자세하게 살펴본다. 전기를 아끼고 일회용품 사용을 줄이며 지구에 안 좋은 것은 거의 안 쓰도록 노력한다.

- 자연 친화적인 삶의 방식에는 자연을 오염시키지 않고 자연과 어울려 사는 것이다.

- 평소 일을 잘 신경 쓰지 않아 후회했던 적이 많았는데 후회하지 않도록 제때 하는 것이 중요하다는 것을 다시 한번 깨닫게 되어 감사하다. 지구환경을 보호하기 위해 만들어 쓸 수 있는 건 만들어 쓰고 줄일 수 있는 건 줄이며 살아야겠다고 생각했다.

- 나에게 행동을 미루지 않고 일을 처음에 살피며 열정적으로 일을 하는 사람이 되라는 깨우침을 준 글을 읽게 되어 감사하다.

- 자연 친화적이고도 대안적인 삶의 방식을 더 늦기 전에 살아봐야겠다고 느꼈다. 이런 삶을 살고 실천해 나간

다면 미래의 나는 조금 더 후손들라 자연환경에 대해 뿌듯함을 느낄 수 있을 것 같다. 다른 사람들도 이러한 인식을 공유하여 지구 사랑을 위한 실천들이 하나둘씩 모이게 된다면 '우리가 사는 삶과 환경은 좀 더 나아지지 않을까?' 하는 생각을 해보게 되었다.

• 나를 비롯해서 많은 사람들이 이후의 일이 아닌 지금 당장의 일을 생각하는 것 같다. 일회용품 쓰레기만 봐도 버릴 곳도 부족하고 하루에도 인간이 내다 버린 쓰레기 때문에 동물들라 자연이 고통받는 일이 많이 일어나는데 우리는 아무 대책 없이 너무 막 쓰고 버리는 것 같다. 지구 사랑을 실천하기 위한 방안으로는 밖에서 파는 음식은 배달하지 않고 용기에 담아오기, 가까운 곳은 걸어 다니기, 마스크 줄 잘라 버리기 등이 있을 것 같다. 또한 환경을 살리는 캠페인에 참여하는 것도 의미가 있을 것 같다.

• 자연 친화적이고 대안적인 삶의 방식을 더 늦기 전에 시작해야겠다는 생각을 가지게 해주어서 감사하다. 지구 사랑 실천 방안으로 버스, 자동차 등을 이용하지 말고 자전거를 타고 다니거나 걸어 다니고 친환경 마크가 붙어있

는 물건을 구매하며 양치를 할 때 물컵을 사용하기 등을 생각해 보았다.

· 자연 친화적인 삶의 방식으로는 대중교통 이용하기, 걸어 다니기, 식물 키우기, 분리수거 잘하기, 유기농 제품 사용하기, 재활용한 제품 사용하기, 옷 물려주기, 천연제품 사용하기, 태양열 전기 이용하기, 쓰레기 줍기 등이 있다.

· 우리 세대부터라도 더 노력하면 지구 환경을 바꿀 수 있다는 생각을 갖게 해주어 감사하다.

♣ 나를 돌아보는 물음

1. 여러분이 생각하는 자연 친화적인 삶이란 무엇인가요?
2. 지구 생태 시민으로서 지구를 사랑하고 살리기 위한 방안으로는 어떤 것들이 있을까요?

3. 가난함과 고귀함

　　鍾鼎豈必貴(종정기필귀)　　관직이 높으면 고귀한 걸까
　　簞瓢豈必貧(단표기필빈)　　거친 음식 먹으면 가난한 걸까
　　貧者身自逸(빈자신자일)　　가난한 사람은 몸이 편하고
　　貴者心長勤(귀자심장근)　　고귀한 사람은 맘 수고롭네
　　從知五侯鯖(종지오후청)⁴⁾　이리저리 아부해 좋은 음식 얻
　　　　　　　　　　　　　　　어낸들
　　不及負暄人(불급부훤인)⁵⁾　따뜻한 햇볕 쬐는 행복만 못한
　　　　　　　　　　　　　　　법이네

-신흠(申欽, 1566~1628), 〈회고전사(懷古田舍)⁶⁾〉 중 제2수

---

4) 五侯鯖(오후청): 매우 맛있는 음식. 중국 한(漢)나라 성제(成帝) 때,
　누호(婁護)라는 사람이 외삼촌인 오후(五侯)가 보낸 고기와 생선을
　맛있게 먹었다는 데서 유래한 말.
5) 鍾종(종),鼎세 발 달린 솥(정)豈어찌(기),必반드시(필),貴귀할(귀)
　簞대광주리(단),瓢표주박(표),豈어찌(기),必반드시(필),貧가난할(빈)
　貧가난할(빈),者사람(자),身몸(신),自저절로(자),逸편안할(일)
　貴귀할(귀),者사람(자),心마음(심),長오랠(장),勤괴로울·부지런할(근)
　從따를(종),知알(지),五다섯(오),侯제후(후),鯖청어(청)
　不못할(불),及미칠(급),負등질(부),暄따뜻할(훤),人사람(인)
6) 懷되돌아볼(회),古오랠(고),田밭·시골(전),舍집(사)

종정(鍾鼎)은 국가 의식에 쓰이는 종과 발이 셋 달리고 귀가 둘 달린 향로같은 제기를 말합니다. 둘 다 국가의 제사와 행사에 쓰인 도구이며 여기에 참석하려면 국가에서 높은 직책을 맡아야 하지요. 나랏일을 하며 귀한 음식을 먹어야만 자신이 높아지고 귀하게 되는 걸까요?

소박하나마 손수 텃밭을 가꾸어 그 자리에서 난 상추, 고추, 오이, 감자, 고구마를 수확하여 가족과 이웃, 친구들과 손수 나물에 비벼 먹거나 감자, 고구마를 삶아 먹는 즐거움이 더 클까요?

지위가 높을수록 책임과 역할, 삶에 대한 압력도 커지게 되겠지요. 경제적 부와 높은 지위를 추구할수록 우리네 삶은 점점 급해지고 자신과 주위 사람들, 자연, 작은 생명들, 나무, 바위, 숲, 새소리, 계곡 소리를 접할 기회는 점점 줄어들겠지요.

어떤 삶을 택하든 여러분의 자유이지만 자연을 마주한 소박한 밥상, 생명에 대한 감사야말로 내 몸과 마음을 제대로 대우해주는 일이 아닌가 생각해 봅니다.

우리 선조들은 청빈(淸貧:맑음과 가난함)과 겸손을 최고 가치로 여기며 일상을 살아가는 가운데서도 마음의 맑음과 가난함을 실천하고자 노력하였습니다. 한 나라의 국정을 짊어지고 가는 임금 또한 흉년이나 전염병이 돌면 세금을 줄여주거나 반찬의 가짓수를 줄이는 등 백성들과 어려움을 함께 나누고자 하였습니다.

《아름다운 삶 사랑 그리고 마무리》,《조화로운 삶》이라는 자서전적 에세이로 유명한 미국의 헬렌 니어링(1904~1995)과 스콧 니어링(1883~1983) 부부는 함께 먹고사는 데서 적어도 절반 이상은 자급자족한다는 점, 돈을 모으지 않다는 점, 동물을 키우지 않으며 고기를 먹지 않는 것, 지구 생명공동체와의 '조화로운 삶'의 원칙을 평생 실천한 것으로 유명하며 귀농과 자급자족을 실천하고자 하는 사람들의 역할 모델이 되고 있습니다. 이들의 삶의 원칙은 다음과 같습니다.

어떤 일이 일어나도 당신이 할 수 있는 한 최선을 다하라

마음의 평정을 잃지 말라
당신이 좋아하는 일을 찾으라
집, 식사, 옷차림을 간소하게 하고 번잡스러움을 피하라
날마다 자연과 만나고 발밑의 땅을 느껴라
농장 일이나 산책, 힘든 일을 하면서 몸을 움직여라
근심 걱정을 떨치고 그날그날을 살아라
날마다 다른 사람과 무엇인가 나누라
혼자인 경우는 누군가에게 편지를 쓰고
무엇인가 주고 어떤 식으로든 누군가를 도와라
삶과 세계에 대해 생각해 보는 시간을 가지라
할 수 있는 한 생활에서 유머를 찾으라

-헬렌 니어링,《아름다운 삶, 사랑, 그리고 마무리》중에서

 우리가 그토록 찾아 헤매는 가난함과 고귀함은 물질과 돈의 많고 적음, 지위의 높고 낮음이 아닌 마음이 맑고 순수하며 여유와 겸손을 알며 자연과 이웃을 배려하고 절제하며 삼갈 줄 아는, 삶을 사랑하는 삶의 자세에 달려 있지 않나 생각해 봅니다.

10대 생각

· 관직이 높다고 무조건 근치하지 않고 거친 음식을 먹는 모두가 가난한 것이 아니라고 생각하게 되었다.

· 항상 긍정적으로 생각하며 자기 자신을 높게 평가해야겠다. 그리고 지구 생태계에 대해 책임감을 가지고 행동해야겠다.

· 소박하고 자연 친화적인 삶을 사는 것이 어쩌면 높은 지위를 가지고 호화로운 삶을 사는 것보다 행복할 수 있다는 것을 느꼈다.

· 직업의 수익보다 그것으로 인한 행복에 대해 생각해보게 되어 감사하다.

· 우리가 숨 쉴 수 있고 살 수 있게 해주며 마실 수 있게 해준 지구 생명공동체에 대해 감사히 여기면서 살아야 한다.

· 내가 생각하는 소박한 삶은 욕심을 부리지 않고 배풀며

사는 것이며 작은 행복에도 감사할 줄 아는 삶이다.

· 꼭 돈이 많아야 행복한 것이 아니라 그것이 없어도 사람들의 사랑을 받으며 자신이 원하는 것을 이룰 수 있다는 것을 깨닫게 되어 행복하고 감사하다.

· 내가 손수 기른 나물과 과일을 수확해서 먹는 일보다 행복한 일은 없을 것 같다.

· 자연이 있어야 우리가 존재하고 다른 사람이 있어야 내가 있으며 물이 있어야 생계를 유지할 수 있으므로 서로가 서로를 돕는 삶에 대해 감사하며 살아야겠다.

· 물질적인 것보다 눈에 보지는 않는 것에 대해 감사할 줄 알아야겠다고 느꼈다.

♣ 나를 돌아보는 물음

1. 여러분이 생각하는 소박하고 가난한 삶이란 어떤 것인가요?
2. 우리가 주변 사람, 자연, 지구, 물, 나무, 동식물에게 감사하며 살아야 하는 이유는 무엇일까요?

4. 부쳐 사는 삶

寄者寓也(기자우야)   부쳐 산다는 것은

或有(혹유)   혹 있기도 하고

或無(혹무)   혹 없기도 해서

去來之(거래지)   오고 감이

未定者也(미정자야)   일정치 않다는 뜻이다

大禹有言曰(대우유언왈)   우임금(중국 하나라의 시조)은

生寄也(생기야)   "삶은 부쳐 있는 것이고

死歸也(사귀야)   죽음은 돌아가는 것이다."라고
                              했는데

信乎生(신호생)   참으로 삶이란

非吾有(비오유)   내 소유가 아니고

天地之(천지지)   하늘과 땅이

委形也(천지지)[7]   잠시 맡겨 놓은 것일 따름이다

---

[7] 寄부칠,빌릴(기),者것(자),寓잠시살다,맡길(우),也이다(야)
或혹은,때로는(혹),有있을(유),或혹은,때로는(혹),無없을(무)
去갈(거),來올(래),之~이(지),未아직~않을(미),定정해질(정),者것(자),也이다(야)
大큰(대),禹우임금(우),有있을(유),言말씀(언),曰말할(왈)
生삶(생),寄부칠(기),也이다(야)
死죽음(사),歸돌아갈(귀),也이다(야)
信진실로,참으로(신),乎어조사,감탄사(호),生삶(생),非아닐(니),吾나(오),有소유(유)
天하늘(천),地땅(지),之~이(지),委맡길(위),形몸,모습(형),也이다(야)

-신흠, 〈기재기(寄齋記)8)〉

 기재(寄齋, 부쳐 사는 사람의 집)는 조선 중기 문신인 박동량(朴東亮, 1569~1635)의 호이다. 상촌 신흠과 오랜 세월 관료 생활을 함께하며 동료로서 의리와 정을 함께 나누었습니다. 이 기문(記文, 어떤 사물이나 사건을 잊지 않고 기념하기 위해 기록한 글)은 공교롭게도 두 사람 모두 계축옥사(癸丑獄事, 조선 광해군 5년(1613)에, 대북(大北)이 영창대군 및 반대파 세력을 제거하기 위하여 일으킨 옥사)에 연루되어 유배 생활을 하게 되었을 때 서로의 처지를 위로하기 위해 신흠이 벗인 박동량에게 삶과 자연의 무상함을 성찰하면서 지어 보낸 글이기도 합니다. 신흠은 "내가 기재 영감과 죄를 같이 얻어 나는 두메산골로 귀양 오고, 영감은 바닷가로 귀양살이 갔는데 나 역시 산골 내 집에다 여암(旅菴, 나그네의 암자)이라고 편액을 달았다."고 하며 벗을 위로하였습니다.

---

8) 寄부칠, 몸을 잠시 맡길(기), 齋집(재), 記기록(기), 한문 문체의 종류(기)

풀이 무성했다 하여 봄에 대해 감사하지 않고, 나무가 잎이 졌다고 가을을 원망하지 않는 것처럼 나그네를 면하고 부쳐 사는 생활을 청산하는 것 역시 조물주에게 맡겨둘 뿐 자신과 박동량은 그것에 관심을 두지 않으며 자신이 나그네 생활을 당연한 것으로 받아들이듯 벗 또한 그렇게 생각하며 잘 지내고 있으리라 여긴다고 기문에서 밝히고 있습니다.

당나라 때 시선(詩仙:시에 관한 한 신선)이라 불리던 이백(李白, 701~762)은 <春夜宴桃李園序(춘야연도리원서:봄밤 복사꽃과 오얏꽃 핀 정원에서 형제와 친척들이 모여 시 짓기 모임을 개최하는 것을 기념하여 지은 서문))>에서 "무릇 천지는 우주 만물의 여관이요, 세월은 영원한 나그네[夫天地者 萬物之逆旅(부천지자 만물지역려), 光陰者 百代之過客(광음자 백대지과객)]"라고 노래하였습니다.

하늘과 땅은 우주 만물이 잠시 쉬어갈 수 있는 여관이며 세월은 그 여관에 머무르는 잠시 머무르는 손님입니다. 우리네 삶 또한 내 것이라고 여기고 아등바등 살아가지만 조선 중기 시인인 신흠은 "내 소유가 아니고 하늘과 땅이 잠시 맡겨 놓은 것일 뿐"이라고 말합니다.

 지구별에 잠시 왔다 사라지는 인류이긴 하지만 짧은 시간 우주 대자연과 더불어 살아가기 위해서 우리가 추구해야 할 가치와 행동규범에는 어떤 것이 있을까요? 인도 출신의 영국의 환경운동가이자 생태운동가, 녹색 성자라고 불리는 사티시 쿠마르는 다음의 몇 가지 원칙을 제시하고 있습니다.

 첫째, 상호연결과 하나됨의 정신입니다. 어느 한 곳에서 일어난 날개짓이 지구 반대편 지역에 태풍을 불러올 수 있다고 하는 이론이 나비 효과입니다. 불교에서는 이것이 생겨나면 저것도 생겨나고 이것이 사라지면 저것도 사라진다고 하는 연기설(緣起說)을 말합니다. 내가 오늘 버린 쓰레기와 생활 하수 등으로 인해 주변 사람과 자연, 동식물들 그리고 지구 반대편의 지구 생명공동체가 함께 힘들어하고 있습니다.

 둘째, 순환의 정신입니다. 지구공동체 속에서 오직 인간만이 쓰레기를 만들어 낸다고 합니다. 사람은 죽으면 어차피 흙으로 돌아가게 되어 있습니다. '때주머니'가 아닌 우리가 살아 있는 동안 나무 한 그루, 풀 한 포기라도 더 심어 놓고 갈 줄 아는 지혜와 회복의 삶을 실천해야 하지 않을까요? 더는 후손에게 부담을 지워서는 안 될 입니다. 지금부터라도 재생가능하고 회복 가능하며 순환적인 삶에 대해 고민하고 실천하는 일이 시급합니다.

셋째, 다양성이라는 가치의 실천입니다. 사람도 각양각색의 피부색과 눈, 생김새, 성격 등이 다양하듯 지구공동체에 살아가는 구성원들도 그 모양이나 역할이 다양합니다. 나름 지신의 존재 가치와 역할에 최선을 다하며 살아가고 있음을 어렵지 않게 알 수 있습니다. 나무 한그루만 보아도 햇볕을 받기 위해 가지를 휘어가며 최선을 다하고 있고 아스팔트와 바위 속에서도 한 생명 꽃피우기 위해 갖은 노력을 다하며 벌과 나비는 꽃과 서로 도와가며 자신의 사명을 다하고 있음을 볼 수 있습니다. 새들은 노래하고 꽃은 우리에게 아름다움과 생명의 가치를 깨닫게 해주며 물과 공기는 조건 없이 우리에게 생명을 선사하고 있습니다. 우리는 이런 자연의 모습과 생태를 보면서 위안을 얻고

교훈을 얻어 지혜를 발휘하기도 합니다. 모든 생명과 자연물들은 그 자리를 지키고 있을 때 더 아름답지 않나 생각해 봅니다.

 다시 처음의 얘기로 돌아와서 하늘과 땅, 우주, 천지 대자연, 우주 만물이 잠시 부여한 지구라는 시공간 속에서 우리는 어떤 의미를 가지고 어떤 가치로운 삶을 살아가야 할까요? 다양한 삶과 존재 방식에 대한 물음과 그 해답을 여러분 마음속에 이미 가지고 있지 않나요?

10대 생각

• 지금보다 더 넓은 세상에서 더 새로운 것을 보고 깨달으며 살아가라는 의미인 것 같다.

• 앞으로는 다른 사람이나 생물, 인공지능라도 더불어 조화롭게 살아가야 할 것 같다. 요즘 동식물에게 인간이 많은 피해를 끼치고 있는데 그런 일을 자제하고 서로 피해 없이 살아갈 수 있는 방안을 생각해보고 실천해야 한다. 그러기 위해서는 우주 대자연이 내어준 삶을 만족하며 살아야 할 것 같다.

• 기후 재난 및 인공지능 시대에는 그것과 함께 살면서 항상 새로운 것, 새로운 흐름을 받아들이면서 더 발전해 나가며 살아야 한다고 생각한다. 우리가 대자연이 부여한 삶에 항상 감사하며 살아야 된다고도 생각한다.

• 로봇이 많이 발명될 것이기 때문에 사람라 자연과 관련된 분야를 연구하는 사람이 될 것이다.

- 인공지능이 발달한다고 해도 그것이 나의 꿈, 행복을 보장해주지 않으므로 일러스트레이터로서 내 꿈과 행복을 찾아갈 것이다.

- 인생은 나그네와 같다고 할지라도 인생의 의미와 목표가 있다는 것에 대해 감사하다. 편안하게 쉴 수 있는 자연이 있어 감사하다.

- 인공지능 시대가 되면 로봇이 할 수 없는 직업을 택해서 살아가야 할 것 같다. 삶은 하늘과 땅이 나에게 준 것이기 때문에 바르고 행복한 삶을 살아야 할 것 같다.

- 인공지능 기술의 개발로 수동적이기보다 자동적인 시스템이 많이 나오고 있다. 자율주행차의 경우 사고가 나면 누구의 책임인지 도덕과 법 사이에 명확한 규정이 필요할 것 같다. 자동 시스템이 많아지면서 요즘 사회인들이 게을러지고 있으니 앞으로의 시대에는 '성실함'이란 덕목이 요구될 것 같다.

- 나 자신을 아끼고 사랑하는 것이 바람직한 삶의 태도라고 생각한다. 나를 사랑하지 않으면 그 무엇도 할 수 없

기에 나를 잘 알고 자신을 아껴주는 자세가 필요하다고 생각한다.

· 나는 인공지능 시대에 로봇과 관련된 직업을 가지고 안정적이고 좋아하는 것을 하면서 행복을 추구하고 싶다. 자연에 늘 고맙게 생각하고 관심을 가지며 소중히 여겨야 한다고 생각한다.

· 인공지능 시대에는 사람을 대체할 로봇 개발도 중요하지만 인간이 언제까지 생존할 수 있을 것인가도 생각해 볼 문제인 것 같다. 우주와 대자연에게 바람직한 모습은 그것을 아끼고 보호하며 봉사하는 자세일 것이다.

♣ 나를 돌아보는 물음

1. 기후 재난 및 인공지능 시대에 우리는 어떤 가치를 추구하며 살아가야 할까요?
2. 기후 위기 시대에 지구 생명공동체와 더불어 살아가기 위한 바람직한 삶의 자세와 모습에는 어떤 것이 있을까요?

5. 가진 자의 욕심은 하늘을 찌르고

嗚呼復嗚呼(오호부오호)	어허 어허!
爲誰長潸然(수위산체연)	누굴 위해 눈물 흘리나?
再歌民亦勞(재가민역로)	백성들 괴로움 노래하며
悠悠望蒼天(유유망창천)	아득한 하늘 바라보네
雕楹刻桷(조영각각)	기둥 들보 아로새기며
事奢麗(사사려)	사치 일삼는 동안
卒歲田家(졸세전가)	한 해 가도록 농가에는
無短褐(무단갈)	거친 베옷 한 벌 없었지
可惜木石(가석목석)	애석하다, 목석이야
本無脛(본무경)	본래 팔다리가 없다지만
哀哉蒼生(애재창생)	슬프도다, 백성에겐
皮有血(피유혈)	피와 살이 있음이여!
剝皮浚血(박피준혈)	가죽 벗겨 피 빨고
旣割骨(기할골)	뼈까지 도려내고도
侈欲靡靡(치욕미미)9)	가진 자의 욕심은 하늘을 찔러

---

9) 嗚슬플(호),呼아!,탄식소리(호),復또(부),嗚슬플(호),呼아!,탄식소리(호)
　爲위할(위),誰누구(수),長길(장),潸눈물흘릴(체),然그런모양(연)
　再이어서(재),歌노래할(가),民백성(민),亦또(역),勞괴로움,수고로움(로)
　悠아득할(유),悠아득할(유),望바라볼(망),蒼푸를(창),天하늘(천)
　雕새길(조),楹기둥(영),刻새길(각),桷들보(각),事일삼을(사),奢사치할(사),
　麗화려할(려)
　卒마칠(졸),歲해(세),田농사지을(전),家집(가),無없을(무),短부족할(단),褐
　베옷(갈)

不知歇(부지헐)   그칠 줄을 모르누나

-김시습(1435~1493), <시대를 탄식하는 노래[오호가(嗚呼歌)]>

　이번 시간에는 김시습의 <시대를 탄식하는 노래[오호가(嗚呼歌)>를 함께 공부해 보고자 합니다. 저는 이 시를 읽고는 사회지도층 혹은 기득권층에게 사회에 대한 책임이나 국민의 의무를 모범적으로 실천하는 높은 도덕성을 요구하는 '노블리스 오블리주(noblesse oblige)'란 단어가 떠올랐습니다.

　'위드 코로나', '위드 인공지능', '기후 위기'의 시대에 세계 각국의 시민들과 동식물, 자연이 이상기온으로 인한 산불, 홍수, 폭염으로 시름시름 앓거나 생명을 잃어가고 있습니다. 인간의 탐욕과 자만, 겸손을

可~하구나(가), 惜슬플(석), 木나무(목), 石돌(석), 本본래(본), 無없을(무), 脛사지(경)
哀슬플(애), 哉~구나, 감탄사(재), 蒼많을, 우거질(창), 生생명(생), 皮가죽(피), 有있을(유), 血피(혈)
剝벗길(박), 皮가죽(피), 浚빼앗을(준), 血피(혈), 旣다시(기), 割벨, 도려낼(할), 骨뼈(골)
侈사치(치), 欲욕심(욕), 靡이어질(미), 靡이어질(미), 不못할(불), 知알(지), 歇그칠(헐)

모르는 오만으로 비롯된 이러한 문명적 재난 상황에서 고통받는 것은 늘 사회적 약자와 동식물들임을 우리는 익히 잘 알고 있습니다.

이러한 때일수록 나부터 약자를 배려하는 마음, 가진 것은 별로 없어도 나눌 줄 아는 마음의 여유를 지니고 검소하고 소박한 삶의 추구, 절제, 친절, 봉사, 협력하는 삶을 실천해 나가보면 어떨런지요?

우리 선조들은 애물(愛物, 사물을 아끼고 사랑함)과 절용(節用, 물건 아껴쓰기)을 강조하고 실천해왔습니다. 얼마 전에 지방선거와 대통령 선거가 끝났는데요. 지방자치가 실시되면서 구의원, 시의원, 도의원을 뽑고 도지사, 시장, 국회의원, 대통령을 선출하였습니다.

국민을 대표하는 가장 윗자리에 계신 분들이 애물과 절용을 실천하고 있다는 얘기는 듣지 못했습니다. 국회의원 의석이 300석 가까이 되는데요. 이분들 한 사람에게 지출되는 세비(歲費, 국회의원의 보수로 매달 지급되는 수당 및 활동비)가 10여억원이 넘는다고 합니다. 물론 국회의원을 돕는 보좌관들의 보수도 포함

된 금액이긴 하지만요. 점심식사를 하러 갈 때면 가까운 거리에도 불구하고 까만색 고급 승용차들이 줄을 지어 서서 국회의원들을 모셔가려고 대기 중이라고 합니다.

 가까운 거리는 보좌진과 동료 의원들과 담소도 나누고 국정을 얘기하면 걸어가면 좋을 텐데 말입니다. 이러한 상황을 지켜보는 국민들의 마음은 어떨까요? 과연 지도층들이 노블리스 오블리주를 잘 실천하고 있다면 환영하며 존경의 마음을 품게 될까요? 옛 선현들의 애물과 절용을 잘 실천하고 계시다며 박수를 치고 있을까요?

 인도의 성자이자 간디의 비폭력 정신을 계승한 비노바 바베는 인도 전역을 도보로 걸으며 땅을 많이 가진 부유층들에게 가난한 사람들을 위해 이들이 가진 토지의 1/6을 기부해 달라는 토지 헌납 운동을 벌였습니다.

 재산이 많아야지만 사회에 공헌하고 기부와 나눔을 잘 실천하게 되는 것일까요? 우리도 유럽 선진국의 지도층처럼 자전거나 지하철을 타고 다니거나 최소한의 연봉, 혹은 봉사직으로 국민의 뜻을 대신하게 하면 어떨까요?

지위와 명예, 겉치레는 걷어 내고 진정으로 사회적 약자를 위해 봉사하고 눈물 흘리며 두 손 잡아줄 줄 아는 정치인과 시대의 어른이 그리워지는 요즘입니다.

10대 생각

• 사람은 욕심이 끝도 없지만 그것을 절제하고 남의 것을 빼앗으면 안 된다는 것을 알게 되어 감사하다.

• 아동학대로 인해 어린 아이들이 부모에게 사랑받지 못하는 일이 마음 아프다. 배려하고 나눔을 실천할 줄 알아야 다 같이 행복한 삶을 살 수 있다고 생각한다.

• 사회적 약자를 배려하는 마음을 가지며 소박한 삶을 실천해 나가야겠다.

• 힘들 때일수록 내가 먼저 약한 사람들을 돕고 나누고 봉사를 하며 살아야 겠다고 생각했다. 그리고 다른 사람이 어떠한 상황에 놓여 있는지 생각하고 성찰할 수 있었다.

• 코로나19로 인해 사람들이 집 밖에 잘 나가지 못하고 단체생활을 하지 못하게 되었다. 집에 있는 시간과 배달 음식을 시켜 먹는 경우가 많아지면서 플라스틱 사용량이 더욱 늘어나게 되었다. 지구는 미래의 후손들에게도 물려주어야 하는 소중한 생명체이므로 플라스틱 사용을 자제

할 수 있도록 노력하고 실천해야겠다는 생각을 해봤다.

• 이 글을 보고 지구의 환경오염이 가장 먼저 생각났다. 많은 학자들이 지구가 지금 위태롭다고 하고 있다. 그러나 사람들이 이를 알고 있음에도 불구하고 지구에 대한 과도한 개발과 낭비는 지속되고 있다. 이런 상황을 초래한 장본인이 인간임에도 불구하고 편한 것, 불편한 것, 위험한 것을 감당해야 하는 것은 인간을 포함한 지구 생명 공동체이다. 지금이라도 이 상황에 대해 경각심을 갖고 욕심을 줄여가며 지구를 돕고 인간을 돕는 것이 지구사랑의 첫발을 떼는 큰 시작이 될 수 있지 않을까? 김시습의 오호가는 과거든 현재든 적용된다는 점이 놀랍고 시대의 아픔을 잘 꿰뚫었다고 생각한다.

• 환경오염도 심각한 문제이지만 서로 간의 신뢰가 낮은 점이 더 큰 문제라고 생각한다. 서로를 의심하고, 헐뜯고, 싸우고... 서로의 입장을 조금만 이해하고 믿으며 욕심을 조금씩 버려 나간다면 충분히 웃으며 대화할 수 있을 것인데 그러질 못해 안타깝고 마음 아프다는 생각을 했다. 어쨌든 지구는 많은 생명체가 공존하는 집이라고도 볼 수 있다. 지구는 모두의 것이고, 사람이 함부로 소유해서는 안된

다고 생각한다. 모두의 것이기에 배려하고 서로가 살 수 있도록 나눔, 돌봄을 실천해야 한다고 생각한다. 사람은 모르겠지만, 분명 다른 생명체들도 우주적 질서와 조화에 따라 다른 생명체를 위한 배려라던가 희생, 헌신, 나눔을 어떠한 형태로든 하고 있다고 생각한다.

· 몇몇 인간들의 추악한 인성으로 인해 사람뿐만 아니라 동식물도 죽어 나가고 지구도 망가지고 있다는 사실에 마음 아프다. 지구 생명공동체를 배려하고 나눔과 돌봄을 실천하는 일은 당연한 것이며 이를 실천해야 미래에 나와 우리가 함께 살아갈 수 있다고 생각한다.

· 한 사람의 욕심으로 인해 여러 사람에게 피해가 가게 하는 일은 모두가 힘을 모아야 하는데 함께 모으지 않고 이기적으로 혼자 참여하지 않는 것과 같다. 이로 인해 여러 사람들에게 피해가 갈 수 있다는 것을 느꼈다.

· 나눔과 돌봄을 실천하면 스스로가 뿌듯하기도 하고 누군가를 돕는다는 행위로 인해 나와 우리 모두의 행복이 시작되므로 그것을 실천하는 삶을 살 필요가 있다고 생각한다.

• 나 하나의 잘못된 인식과 행동으로 인해 많은 사람, 식물, 동물, 무생물들이 피해를 볼 수 있다는 것을 깨닫게 되었다. 앞으로 이들을 배려하며 생활하는 방법을 생각해 볼 수 있게 되어 감사하다.

♣ 나를 돌아보는 물음

1. 우리 시대에 마음 아파할 일에는 어떤 것이 있으며 그것에 대한 이유를 적어보세요.

2. 우리가 지구공동체 및 사회적 약자를 배려하고 나눔과 봉사를 실천해야 하는 이유는 무엇일까요?

6. 남산에 올라

　오늘 우리가 함께 공부할 시는 조선 중기 4대 문장가 중 한 분이자 자연 친화적인 시를 많이 쓴 상촌(象村) 신흠(申欽, 1566~1628)의 <남산에 올라>라는 시입니다. 여러분은 산에 오르면 어떤 기분과 몸과 마음의 상태를 경험하게 되는지요? 여기 그의 시를 함께 살펴보며 생각을 나누도록 하겠습니다.

晚來微雨(만래미우)	저물녘 깊은 숲엔
灑長林(쇄장림)	이슬비 내려
紅白參差(홍백참치)	푸른 숲 붉고 하얀 꽃들
間綠陰(간녹음)	섞여 있네
試策孤笻(시책고공)	지팡이 짚고 나가
跨絶壑(과절학)	골짝에 걸터앉고
更憑虛檻(갱빙허함)	빈 난간에 기대어
眺遙岑(조요잠)	산자락 바라보니
乍聞幽鳥(사문유조)	이따금 숲속 새의
能新語(능신어)	산뜻한 소리 들려오고
時有淸風(시유청풍)	때때로 맑은 바람

忽滿襟(홀만금)　　　　　옷깃 가득 불어오네

觀物自然忘物累(관물자연)　자연을 보노라면

忘物累(망물루)　　　　　절로 물욕 잊게 되나니

古人於此(고인어차견천심)10)　옛사람은 여기서

見天心(견천심)　　　　　하늘마음 보았으리

- 신흠, 〈오랫동안 날이 가물다 단비 내린 뒤 초목 우거져 남산에
올라 멀리 바라보며 느낀 점을 읊다[구한득우초목창무쇄연유회등
남산망원(久旱得愚草木暢茂洒然有懷登南山望遠)11)]〉

---

10)　晚늦을,저녁(만),來오다(래),微작을(미),雨비(우),灑뿌릴(쇄),長길다(장),林수
　　풀(림)
　　紅붉다(홍),白희다(백),參뒤섞일(참),差뒤섞일(치),間사이(간),綠푸를
　　(록),陰그늘(음)
　　試잠시(시),策짚을(책),孤하나(고),筇지팡이(공),跨걸터앉을(과),絶막다를
　　(절),壑골짜기(학)
　　更다시(갱),憑기댈(빙),虛비다(허),檻난간(람),眺바라볼(조),遙멀다(요),
　　岑산봉우리(잠)
　　乍마침(사),聞들을(문),幽그윽한곳(유),鳥:새(조),能할　수　있을(능),新
　　산뜻할(신),語말(어)
　　時때때로(시),有있다(유),淸맑다(청),風바람(풍),忽문득(홀),滿가득찰
　　(만),襟옷깃(금)
　　觀보다(관),物사물(물),自스스로(자),然그러할(연),忘잊다(망),物사물
　　(물),累묶일(루)
　　古예(고),人사람(인),於~에(어),此여기(차),見보다(견),天하늘(천),心마음
　　(심)
11)　久오램(구),旱가물(학),得얻다(득),愚어리석은　사람,나(우),草풀(초),木나무(목),
　　暢우거질(창)
　　茂무성할(무),洒씻을(쇄),然~듯한(연),有있다(유),懷품을(회),登오를(등),南남녘
　　(남),山산(산),望바라볼(망),遠멀(원)

이 시는 신흠이 오랫동안 날이 가물다가 비가 오고 있는 모습을 보고 남산에 올라 쓴 시입니다. 한 편의 시이지만 그의 글을 읽고 있노라면 산림 속의 '붉고 하얀 꽃', '비 맞은 푸른 나뭇잎과 풀', '골짜기', 비 온 뒤의 구름이 산자락을 감싸고 있는 모습은 한 점의 풍경화를 생각나게 하지 않나요? 이따금 들려오는 '새의 산뜻한 소리'와 '선선한 바람' 등 오감이 총동원되어 세상의 근심을 잊은 듯 보이지 않는지요? 여기서 인간의 욕심은 낄 자리가 없게 되고 순수하게 옛사람의 자연과 하늘을 닮고자 하는 마음만 엿볼 수 있게 됩니다.

우리가 자주 자연을 자주 접하고 바라보아야 하는 이유는 무엇일까요? 시의 제목에 나와 있는 망원(望遠)은 '멀리 바라본다'는 뜻입니다. 요즘으로 치면 멀리 자연의 풍경을 바라보며 '멍 때린다'고 할 수 있겠지요

시인은 자연을 바라보고 있노라면 자신과 세상에 대한 근심 걱정을 잊게 된다고 말합니다. 시인이 말하는 '하늘마음'은 또 무엇일까요?

우리가 기계나 도구를 자주 이용하게 되면 기심(機心 : 기교를 부리는 마음)이 생기게 된다고 합니다. 우주 자연의 질서에 비추어 볼 때 인간의 기심은 전혀 자연스럽지가 않습니다.

일찍이 노자는 《도덕경(道德經)》에서 "사물의 소박함을 보고 인위적 힘을 가하지 않은 원형 그대로의 통나무를 껴안으며 사사로운 욕심과 이기심을 적게 가져라[見素抱樸, 少私寡欲(견소포박 소사과욕)]"고 하며 인간의 이기심과 욕심으로 인해 빚어진 문명의 폐단을 꼬집었습니다.

'하늘마음'이란 것은 사람의 손을 거치지 않은 스스로 그러한 자연 상태의 통나무와 같은 마음이 아닐까요? 이것은 인간의 이기심으로 이렇게 자르고 저렇게 잘라 편의와 욕심을 채우는 삶이 아닌 자연의 순리에 따르는 삶, 자연을 본받고 하늘마음을 본받는 삶의 자세를 말하는 것 같습니다.

우리는 스스로를 너무 가까이에 두고 눈앞의 일들에 아등바등하며 자세히 들여다 보는[세근(細近)] 것보다 자신의 일과 적정한 거리를 두고서 자연을 거닐며 우주 속에서 나의 사명과 운명에 대해 멀리 바라볼 줄 아는[망원(望遠)] 삶의 지혜가 오늘을 살아가는 우리들에게 필요한 삶의 자세이자 덕목이 아닐까 생각해 봅니다.

10대 생각

• 우리가 자연을 경외해야 하는 이유는 그것이 우리에게 도움을 많이 주고 일상생활에 필요한 용품들을 제공해 주기 때문이다.

• 한 번 훼손된 자연은 원래의 상태로 되돌리기가 어렵다. 자연과 하늘처럼 많은 것을 품을 수 있는 사람이 되어야겠다고 생각했다.

• 우리 자체가 자연이 되어야 그것을 조금 더 소중히 여기고 아껴줄 수 있을 것이다.

• 하늘처럼 맑고 깨끗한 삶을 산다면 나뿐만 아니라 다른 생명도 나로 인해 행복하고 안전한 삶을 살아갈 수 있을 것이다.

• 옛사람의 자연과 하늘을 닮고자 하는 마음을 읽을 수 있었고 나도 이들처럼 자연을, 하늘을 닮고자 하는 그 마음을 닮고 싶다.

• 자연을 닮은 삶을 살아야 하는 이유는 자연이 어떤 것

에 의해 생긴 것이 아닌데도 스스로 좋은 영향을 끼치는 것처럼 우리도 자연처럼 스스로 발전해 나가며 주변에 좋은 영향을 끼칠 수 있는 존재이기 때문이다.

· 자연은 욕심이 없고 다양한 생명들을 살 수 있게 해주므로 자연을 닮아야 된다고 생각한다.

· 코로나19는 자연이 주는 '벌'이라고 하는데 정말 그런 것 같다. 우리가 언제부터 자연에게 아픔을 줬는지는 정확히 알 수는 없지만 많은 아픔을 주고 있으니 우리도 그만큼의 대가를 치러야 한다고 생각한다.

· 비오는 날에 산에 올라가서 오두막집에 쉬면서 새와 경치를 구경하고 바람의 촉감을 느끼며 쉬고 있는 것 같은 느낌이 들었다.

· 아무런 대가 없이 베푸는 자연처럼 나 이외의 생명들을 너그럽게 대할 줄 알고 베풀 줄 아는 하늘 닮은 따뜻한 마음씨를 지녀야겠다는 깨달음을 얻게 되

어 감사하다.

♣ 나를 돌아보는 물음

1. 우리가 자연에 대해 경외심을 품어야 하는 이유는 무엇일
   까요?
2. 우리가 자연과 하늘을 닮은 삶을 살아가야 하는 이유는
   무엇인지요?

7. 낙동강을 지나며

百轉靑山裏(백전청산리) 푸른 산속 굽이굽이 백 번을 돌아
閑行過洛東(한행과낙동) 한가로이 낙동강을 지나가누나
草深猶有路(초심유유로) 풀이 깊어도 길은 있나니
松靜自無風(송정자무풍) 소나무 고요해 바람도 없다
秋水鴨頭綠(추수압두록) 가을 물은 청둥오리 머리처럼 푸르고
曉霞猩血紅(효하성혈홍) 새벽 노을은 원숭이 피처럼 붉다
誰知倦遊客(수지권유객) 누가 알리 자연 속 쉬어가는 이
                          나그네가
四海一詩翁(사해일시옹)12)천하의 시인인 줄을

-이규보(李奎報, 1168-1241), 〈행과낙동강(行過洛東江)〉

　공자는 "시에서 도덕적 마음을 흥기시킨다[興於詩(흥
어시)]"라고 하였습니다. 우리의 산과 강은 시심(詩心:

---

12) 百일백(백),轉돌(전),靑푸를(청),山산(산),裏속,안(리)
　　閑한가할(한),行갈(행),過지날(과),洛물이름(락),東동녘(동)
　　草풀(초),深깊을(심),猶되려,오히려(유),有있을(유),路길(로)
　　松소나무(송),靜고요할(정),自절로(자),無없을(무),風바람(풍)
　　秋가을(추),水물(수),鴨청둥오리(압),頭머리(두),綠푸를(록)
　　曉새벽((효),霞안개(하),猩원숭이(성),血피(혈),紅붉을(홍)
　　誰누구(수),知알(지),倦게으를(권),遊노닐(유),客손님(객)
　　四넉(사),海바다(해),一한(일),詩시,노래할,읊을(시),翁늙은이(옹)

시에 관한 생각을 불러일으키는 마음)을 길러내기에 더할 나위 없이 좋은 조건이라는 생각이 듭니다.

이규보는 영남의 어느 산길을 지나며 낙동강을 굽어보며 시심을 길어올리고 있습니다. '푸른 산속', '강', '풀', '소나무', '바람', '가을 물', '청둥오리', '새벽 노을'이란 시어가 이를 잘 말해주고 있습니다.

예전에 선비들은 너나 할 것 없이 호연지기(浩然之氣: 너르고 크며 올바른 기운)와 시심을 기르고자 산수 유람을 하였습니다. 산과 강은 그 자체로 경이의 대상이었으며 '또 다른 나'이자 만물을 길러주고 보듬어주는 부모와 같았기 때문입니다.

우리는 누구나 크건 작건 간에 내면에 시심과 생태적 감수성을 가지고 있습니다. 풍경을 마음 속에 갈무리하고 삶이 허전하거나 혼돈스러운 느낌이 들 때 가벼이 우리 산하 순례를 떠나보면 어떨까요?

벌써 40년 전의 일입니다. 부산일보가 <낙동강, 늦기전에>라는 특별 기획 기사를 81년 9월부터 82년 4월까지 55회 연재하면서 <오염으로 시드는 7백리, 그

실태와 처방>을 통해 낙동강 오염의 실태를 밝혔습니다. 아래 그 내용을 인용하면 다음과 같습니다.

억겁의 세월을 두고 이 땅에 풍요로움을 안겨 준 낙동강. 조상의 얼이 담겨 흐르는 이 강이야말로 영원한 민족문화의 요람이다. 이 강가에는 이제 고도산업 사회의 기적이 이뤄지고 있다. 그러나 그 역사의 강이 지금 날로 가속되는 수질 오염으로 서서히 죽음의 수렁 속으로 빠져들고 있다. 낙동강이 황폐하고 죽음으로 이르렀을 때 주변 도시의 모습이 어떻게 될 것인지를 상상해보라. 거기엔 인공사막이 있을 따름이다. 지금이라도 늦지는 않다. 너무 늦기 전에 치유의 손길을 뻗어야 한다.(박태순, 《국토와 민중》, 1983, 324쪽에서 재인용)

40년 전이나 지금이나 낙동강과 주변에 몸담고 있는 수생식물, 조류, 사람을 포함한 대자연의 생명은 하루도 물이 없이는 살아갈 수가 없습니다. 낙동강 개발의 연원을 거슬러 올라가 보면 60~70년대 박정희 정부 때의 근대화와 공업화, 지난 이명박 정부 때의 4대강 공사로 인해 우리의 젖줄이자 생명수인 낙동강의 수생식물과 조류, 주변 마을, 농경지, 사람들은 그 피해를 고스란히 떠안고 원래 있던 곳을 떠나거나 현실을 감내하고 있는 실정입니다. 농민들과 주변 생명들은 어미 잃은 아이가 되어 농경지와 서식지를 빼앗기고 낙동강 주변의 문화와 정신적 유산, 자연과 더불어 살아갈 줄 아는 생태적 지혜와 감수성마저도 잃어버리는 처지에 놓이게 되었습니다.

물과 강은 우리 생명의 근원이며 향수(鄕愁, 고향을 그리워하는 마음)입니다. 조상 대대로 전해져 내려오는 삶의 지혜와 터전을 우리 스스로 파헤치고 오염시키고 물의 흐름을 강제로 조절하려는 오만함을 부린다면 그 폐해는 우리 세대와 우리의 후손들에게 고스란히 전해지지 않을까요? 우리는 무엇을 보고 시심(詩心, 시를 짓고자하는 마음)을 내고 무엇에 감동하고 감탄할 수 있을까요? 회색빛 아파트에 둘러싸여 낙동강 보와 녹조, 죽어가는 물고기와 새들을 바라보며 생명의 근원과 신비, 생태적 감수성을 어떻게 키워나갈 수 있을까요? 강과 이 땅의 생명들과 후손들에게 미안하고 두려워지는 요즘입니다.

10대 생각

• 산과 강이 나에게 주는 포만감이 마음속 깊은 안정을 찾아주는 것 같았던 감명 깊은 시였다. 신비하고 평화로운 자연이 마치 가족이라는 큰 포근함이 나를 감싸는 느낌을 받아보고 싶어 시를 읽을 때 노력했다.

• 한 글자 한 글자들이 모여 이루어진 시이지만 자연의 풍경과 이미지가 생생하고도 절로 떠올랐다. 시어처럼 마음이 복잡할 때 자연의 풍경을 보면 이치대로 흘러가는 모습이 아름다워 생각이 정리되는 것 같다. 코로나 시대에 밖을 잘 나가지 못해 자연 친화적 활동을 못 하는 것이 안타깝다.

• 자연의 있는 그대로를 느끼고 생각하는 것이 사람마다 그 자세한 형태와 결이 다를지도 모르겠지만, 누군가의 고민을 덜어주고 누군가의 마음을 넓혀주는 계기가 되고 누군가의 화를 사그라들게 하는, 어찌 되었건 평화로운 바람이 부는 마음밭으로 바뀔 것 같다. 시간이 흘러 만들어진,

시대를 안고 있는 이로운 것들이 생각난다. 시대를 크게 볼 수도 있겠지만 작게 보면 나의 추억을 가진 장소로도 생각이 된다.

· 차 안에서 높은 빌딩과 지나가는 차들을 쳐다보고 있는 것보다 산과 강을 내 발로 직접 밟아보면 마음이 더 편안해지고 맑아지는 느낌이 들고 포근해진다. 산과 강으로 가면 힐링이 되고 스트레스가 풀리기 때문이다.

· 걸어서 우리 산과 강을 밟아보는 일은 우리의 건강에도 좋을 것이고 또한 우리가 전자 기기에서 벗어나 상쾌함을 조금이나마 느낄 수 있을 것이다. 산과 강은 나에게 익숙하고 친근한 것으로 다가오는 것 같다. 어릴 적부터 해수욕장과 등산을 즐겨 다니며 노닌 나에게는 산과 강이 참 고마운 존재이기도 하다.

· 걸어서 우리 산과 강을 밟아보는 일은 우리의 마음 밭에 자유의 느낌과 함께 편안한 영향을 줄 것 같다. 산과

강은 우리에게 자랑스럽고 소중한 의미로 다가온다.

• 자연이 있어 힐링을 하며 살수 있게 되어 감사하고 그것 없이는 못 사니 지구를 아껴줘야겠다는 생각이 들어 감사하다.

• 걸어서 산이나 강에 가면 걸어갔다는 뿌듯함과 자연 경관을 볼 수 있음에 감사하게 될 것 같다. 나에게 산과 강은 갈 때는 귀찮고 힘들지만 막상 가보면 기분도 좋아지고 개운한 기분이 들 수 있게 해주는 존재이다.

• 자연은 참 신기한 존재이다. 멀리하려거야 멀리할 수 없고 그것 속에 있으면 생각에 잠겨 빠져나오지 못하게 되는 것 같다.

• 우리가 지금 볼 수 있는 자연의 풍경을 다시 한번 더 많이 볼 수 있을때 둘러봐야 겠다는 생각을 들게 해주셔서 감사하다.

♣ 나를 돌아보는 물음

1. 차가 아닌 걸어서 우리 산과 강을 밟아보는 일은 우리의
   마음 밭에 어떤 영향을 주는 것 같나요?
2. 우리의 산과 강은 여러분에게 어떤 의미로 다가오는지
   요?

8. 동산에서 매미 소리를 듣다

不敢傍高柳(불감방고류) 감히 높은 버들 곁에 가지 못함은
恐驚枝上蟬(공경지상선) 그 가지 위 매미를 놀래킬까 봐
莫敎移別樹(막교이별수) 다른 나무로 옮겨 가게 하지 마라
好聽一聲全(호청일성전) 한 곡조 끝까지 듣고 싶단다
輕蛻草間遺(경태초간유) 가벼운 허물은 풀 위에 벗어 두고
淸吟枝上嘒(청음지상혜) 맑은 노래는 가지 사이에 가냘프구나
聆音不見刑(령음불견형) 소리는 들리는데 모습은 보이지 않네
綠葉深深翳(녹엽심심예)[13]푸른 잎에 깊이깊이 가려 있어서

-이규보(李奎報, 1168-1241), 〈원중문선(園中聞蟬)[14]〉

　　이번 시간에는 이규보의 한시 <동산에서 매미 소리를 듣다>를 함께 학습해 보고자 합니다. 가을장마와 태풍으

---

13) 不않을(불)敢감히할(감), 傍곁(방), 高높을(고), 柳버드나무(류)
　　恐두려워할(공), 驚놀랄(경), 枝가지(지), 上위(상), 蟬매미(선)
　　莫하지말(막), 敎하게할(교), 移옮길(이), 別다를(별), 樹나무(수)
　　好좋아할(호), 聽들을(청), 一한(일), 聲소리(성), 全온전할(전)
　　輕가벼울(경), 蛻허물,(예)草풀(초), 間사이(간), 遺남길(유)
　　淸맑을(청), 吟노래(음), 枝가지(지), 上가,사이(상), 嘒가냘플(혜)
　　聆들릴(령), 音소리(음), 不않을(불), 見보일(견), 刑모양,모습(형)
　　綠푸를(록), 葉잎(엽), 深깊을(심), 深깊을(심), 翳덮을,가릴(예)
14) 園동산(원), 中가운데,안,속(중), 聞들을(문), 蟬매미(선)

로 인해 무더위는 지나갔지만 습한 날씨가 계속 이어지고 있는 요즘입니다.

 저는 개인적으로 틈날 때마다 걷기를 좋아합니다. 사무실에서 오래 앉아 있는 것이 체질적으로 맞지 않기도 하고 제가 살고 있는 진해는 자연경관이 뛰어나고 살고 있는 곳 가까이에 산이 있어 자주 산책을 합니다. 그러다 보면 소하천의 물소리, 풀, 나무, 벌레 등을 자주 볼 수 있고 이들의 소리도 자주 듣게 됩니다. 가을철은 특히 귀뚜라미 소리가 고요한 저녁과 새벽 시간을 밝혀주기도 합니다.

 이규보는 매미가 놀랄까봐 차마 버드나무 곁에 가지 못하고 비켜서고 멈춰서서 이들의 생명 활동을 가만히 지켜보며 엿듣습니다. 우리의 삶도 그처럼 잠시 멈추고 내가 아닌 다른 생명의 목소리에 귀 기울이는 일이 필요하지 않을까요?

 애벌레에서 매미로 모습을 바꾼 후 일주일을 노래하다 나무에 붙은 채 자신의 껍데기만 남기고 원래 왔던 곳으로 돌아가는 이들의 모습을 보면서 숙연한 마음을 지님과 동시에 우리 인간은 불필요한 것들을 너무 많이 소유하려고 욕심내고 발버둥치며 살아가는 건 않는지 반성해 보게 됩니다.

생명 사상가이자 원주 생활협동조합을 창시한 무위당 장일순 선생님은 탁주 한잔을 하시고 집으로 돌아가는 논두렁 길에 풀벌레 소리를 듣고는 자신이 살아온 삶을 성찰하고 부끄러워했다고 합니다. 이렇게 훌륭한 삶을 살아오신 분이 자신의 삶을 부끄러워했다는 것은 왜일까요?

우리는 숲을 지나다 혹은 길을 지나다가 귀뚜라미 소리, 매미 소리, 새 울음소리, 꽃이 나를 보고 웃어주는 모습을 보고 듣고는 스스로의 삶을 잘 성찰하지 않습니다. 그날의 기분에 따라 그저 보기 좋고 듣기 좋거나 듣기 거슬린다는 느낌을 가질 뿐이지요.

옛 선현들은 솔개가 하늘을 가로지고 물고기가 흥에 겨워 펄쩍 뛰어오르는[연비어략(鳶飛魚躍)] 모습에서 자연에 대한 경이와 경탄을 했다고 합니다. 자연 혹은 생명은 자신의 주어진 삶과 환경에 만족할 줄 알고 생을 누리고자 자신의 최선을 다하며 삶에 대한 충만함과 열정으로 살아가고 있습니다. 그런데 우리 인간은 어떤지요? 저 자신의 생활 모습과 평소의 생각, 타인과 타자(생명, 자연, 무생물 등)를 바라보는 시선을 돌아보면 생명을 구가하고자 하는 역동성과 삶의 충실성 면에서 새, 풀벌레, 동식물에게 훨씬 미치지 못하고 있다는 생각이 듭니다.

풀벌레 소리, 새울음 소리, 꽃이 피는 소리는 자연의 주파수로서 우리 인간의 심신이 가장 편안함을 느끼는 음역대인 면에서 인간 또한 자연의 한 구성원임을 부정할 수 없습니다. 학업으로 인한 스트레스, 인간관계에서 오는 스트레스, 뜻한 바를 펼치지 못해 오는 스트레스와 우울감, 좌절감 등을 오늘부터 숲속 길이나 근처 산책로를 걸으면서 자연의 교향곡을 오감으로 받아들이고 몸과 마음을 정화하는 일을 자주 해본다면 오늘과 다른 내일을 꿈꾸고 숨쉬며 살아갈 수 있게 되지 않을까 생각해 봅니다.

10대 생각

• 자연의 소리를 자주 접하면 나의 마음과 생활이 더 깨끗해질 거 같다. 땅을 걸어갈 때 작은 생물이지만 밟지 않으려고 노력한 적이 있고 주변 동생들이 식물을 꺾으려고 할 때마다 그러지 말라고 한 적도 있다. 그럴 때마다 괜히 내가 뿌듯해진다.

• 매미는 시끄럽기만 한 줄 알았는데 이 글을 읽고 매미가 시끄럽게 느껴지지는 않았다.

• 도시에 있을 때보다 자연에 있을 때 마음이 편안한 것 같다. 초등학교 2학년 때 개미가 발에 밟힐까봐 땅을 보고 걸었던 일이 생각난다. 그때 개미를 밟지 않고 하나의 생명을 살리게 된 것 같아 마음이 뿌듯했다.

• 자연의 소리를 자주 접하면 정신도 맑아지고 불필요한 생각이 날라가서 일상 생활이 더 편해질 것 같다. 예전에 엄마 길고양이 1마리와 새끼 길고양이 5마리를 봤는데 너무 배고파 보여서 일주일에 2~3번씩 밥을 챙겨줬다. 그때 고양이들이 잘 먹으니까 너무 기분이 좋았다.

• 평소에 매미가 울면 시끄러워서 좀 예민했었는데 일주일밖에 못 산다는 것을 알고 다시 생각하게 되었다.

• 마음이 편안해지고 자연의 소리에 더 집중할 수 있을 것이다. 길을 가다가 우연히 개미집이 돌멩이로 막혀있는 것을 보고 빼주었다. 여러 개미 가족이 나의 배려 덕분에 이들이 다시 집에 들어갈 수 있게 됐다는 사실에 뿌듯했다.

• 시인이 매미가 내 위 바로 그 나무에 있는 것 같은데 눈에 보이지 않는 것을 잘 표현했다고 느꼈다. 일상에서 자연을 자주 접하면 마음이 맑은 느낌이 들것 같다 기분도 저절로 좋아지고 매일 웃는 얼굴로 생활할 것 같다.

• 사람들에게 자연의 소리를 들려주는 작은 생명들에게 감사함을 느끼고 그 곤충들도 하나의 소중한 생명이기 때문에 조심히 소중하게 다뤄야겠다고 생각했다.

• 자연의 소리를 자주 접하면 마음이 차분해지고, 짜증나는 일 없이 모든 일이 차분하고 빠르게 잘 풀릴 것 같다. 그리고 온라인 기기를 자주 접하지 않게 되면서 마음

을 깨끗하게 정화 시킬 수 있을 것 같다. 나는 다른 사람을 배려한 경험이 있다. 그 경험은 친구에게 하나밖에 없던 물건을 양보해 준 것이다. 양보했을 때 스스로 뿌듯함이 들었다.

• 복잡한 차 소리나 시끄러운 잡소리 등이 안 들리니 내가 아닌 다른 생명에 조금 더 관심을 가질 수 있을 거 같다. 어렸을 때 친구들이 나뭇잎을 뜯을 때가 많았는데 나는 풀을 뜯지 말라고 하였고 그때 나의 마음은 식물이 다치지 않았으면 하는 바람이었다.

• 코로나 때문에 밖에 나가는 게 줄어들었다. 산에 올라가 놀고 주말에 물 있는 계곡도 가곤 했었다. 여태껏 잊고 지냈던 일을 생각하게 해주어 감사하다.

• 시끄럽다고 생각했던 게 듣기 좋은 소리로 들릴것 같다. 예전에 친구가 앞에 서게 해달라고 했었는데 배려해주고 나니까 왠지 기분이 좋았다.

♣ 나를 돌아보는 물음

1. 자연의 소리(매미 소리, 새소리, 계곡물 소리, 폭포 소리 등)를 자주 접하면 여러분의 마음과 생활에 어떤 변화들이 일어날까요?

2. 작은 생명이지만 이들을 방해하지 않고 배려하는 마음은 우리 시대에 더욱 절실히 요구됩니다. 동식물, 다른 사람 등 나와 다른 생명을 배려한 경험과 그때의 마음은 어땠는지 적어보세요.

9. 연꽃 사랑

淸新纔罷浴(청신재파욕)　맑은 새벽에 목욕을 마치니
臨鏡力不持(임경력부지)　거울 앞에서 몸을 가누지 못하네
天然無限美(천연무한미)　천연의 무한한 아름다움이란
摠在未粧時(총재미장시)15)아직 단장하기 전에 있구나

-최해(崔瀣, 1287-1340), 〈연꽃[風荷(풍하)]〉

최해는 최치원의 후손이자 고려 시대 문장가이며 성균학관을 거쳐 예문춘추검열 등 여러 벼슬을 지냈습니다. 성격이 강직하고 타협을 몰라 조정에서 환영받지 못하고 말년에는 농사를 지으며 저술에 힘썼습니다.

묘하게도 그의 이름의 뜻인 '이슬 기운'과 바람에 흔들리는 연꽃[風荷(풍하)]는 많이 닮은 듯 합니다. 그

---

15) 淸맑을(청),新하루의 처음,새벽(신)纔겨우(재),罷마칠(파),浴목욕(욕)
臨임할,다가설(림),鏡거울(경),力힘(력),不없을(불),持지탱할,받칠(지)
天하늘(천),然모양(연),無없을(무),限한계(한),美아름다움(미)
摠다,모두(총),在있을(재),未아직~않을(미),粧꾸밀(장),時때(시)

의 삶 자체가 세속에 있되 물들지 않는 연꽃 같은 삶이라 더 그러하겠지요.

요즘 남녀 가리지 않고 미(美)에 대한 관심이 높습니다. 그러나 시인은 '천연의 무한한 아름다움'은 자신을 꾸미지 않은 모습에서 드러난다고 말하고 있습니다.

저는 장인, 장모님과 처제, 그리고 아내와 아들 이렇게 6명이 한집에 살고 있습니다. 장인, 장모님이 남은 생의 소일거리로 무인카페를 운영하고 있습니다. 카페 앞 테라스에는 각종 꽃과 나무를 심어 두고 아침마다 장인, 장모님이 물을 주며 정성을 다해 돌보고 있습니다. 그 중 커다란 단지에 연꽃 서너 송이를 함께 기르고 있는데 가끔씩 수면 위로 얼굴을 수줍게 얼굴을 내밀며 꽃을 피워내는 모습이 신비하기도 하고 무료한 삶에 즐거움을 주는 것 같아 늘 감사한 마음이 듭니다.

자세히 보아야 사물의 진면목을 알 수 있듯 우주를, 지구를, 지구 생명을, 작은 생명과 무생명들을 나 자신을 자세히 들여다보고 돌아보듯 애정과 관심을 쏟고 실천으로 이어질 수 있다면 우리가 사는 세상은 조금 더 나아지지 않을까 생각해 봅니다.

 아래 시는 최근 《걷는 독서》라는 인생의 성찰이 담긴 책을 발간한 박노해 시인의 <사라진 야생의 슬픔>입니다. 생태적 삶의 지혜가 담긴 글이라 인용하면서 이 글을 마칩니다.

 산들은 고독했다.
 백두대간은 쓸쓸했다
 제 품에서 힘차게 뛰놀던
 흰 여우 대륙사슴 반달곰 야생 늑대들은 사라지고
 쩌렁 쩡 가슴 울리던 호랑이도 사라지고
 아이 울음소리 끊긴 마을처럼
 산들은 참을 수 없는 적막감에
 조용히 안으로 울고 있었다

 그러던 어느 날 산들은 알아야만 했다
 사라진 것은 야생 동물만이 아니었음을
 이 땅에서 사라진 야생 동물들과 함께
 야생의 정신도 큰 울음도 사라져버렸음을

허리가 동간 난 나라의 사람들은
다시 제 몸을 동강 내고 있다는 걸
산들은 참을 수 없는 슬픔에
조용히 안으로 울고 있었다

-박노해, <사라진 야생의 슬픔>, 《그러니 그대 사라지지
말아라》

10대 생각

• 이 시에서 '천연의 무한한 아름다움'은 꾸미지 않는 모습에서 드러난다는 내용을 보고 나의 내면에서 아름다움이 느껴질 수 있도록 바른 생활을 하며 살 수 있도록 노력해야겠다.

• 야생의 천진함을 유지하기 위해 내가 할 수 있는 일로는 남을 자세히 살피고 양보하며 배려하는 노력을 기울이는 것이다.

• 다른 사람의 말을 잘 경청하면 나의 기분도 좋아진다. 나의 내면의 연꽃인 '경청'하는 마음을 잘 길러나가야겠다.

• 나의 내면의 연꽃은 '그림' 그리는 일이다. 그림으로 꿈을 키우고 그것으로 남을 즐겁게 해주고 싶다.

• 연꽃이 그냥 아름답기만 한 줄 알았는데 그것의 덕은 사람의 몸과 마음을 깨끗하고 상쾌하게 해주며 치유의 효과도 있다는 것을 알게 되었다.

• 겉모습에 너무 연연하지 않고 너무 꾸미려고도 하지 않으며 욕심을 적당히 가질 수 있도록 노력해야겠다.

• 밝은 인사성이 내 내면의 연꽃인 것 같다. 집에 들어가거나 나올 때 동네 주민들이 보이면 인사를 하는데 이 밝은 인사성이 나를 더욱 빛나게 해주는 것 같다.

• 10대로서 내면의 순수함을 유지하기 위해서는 명상을 하거나 산책하는 시간을 가지면 내면을 돌보는 훌륭한 방법 중의 하나라고 생각한다.

• 자세히 보아야 사물의 참된 모습을 알 수 있다는 깨달음을 얻게 되어 감사하다.

• 주말에 일찍 일어나서 세수한 다음 거울을 보니 외출하려고 준비할 때 거울을 본 것보다 본래의 내 모습에 더 가깝고 괜찮다는 느낌이 든 적이 있다. 이 글을 읽고 그때의 경험을 떠올릴 수 있어 좋았다.

• 나의 내면의 연꽃은 '끈기'이다. 연꽃이 예쁘게 피어나는 것을 보려면 끈기가 필요하듯 나 자신도 좀 더 큰 나로 태어나기 위해서는 기다림과 끈기라는 덕목이 필요하다고 생각한다.

♣ 나를 돌아보는 물음

1. 나의 내면의 연꽃은 무엇인가요? 그렇게 생각하는 이유는 무엇인지요?
2. 야생의 천진(天眞: 꾸밈없이 자연 그대로의 참됨)함을 유지하려면 10대로서 우리는 어떤 노력을 기울여야 할까요?

10. 짚신 신고 발길 닿는 대로

終日芒鞋(종일망혜신각행)	온종일 짚신 신고
信脚行(신각행)	발길 닿는 대로 가노라니
一山行盡(일산행진)	산 하나 넘고 나면
一山靑(일산청)	또 산 하나 푸르네
心非有像(심비유상해형역)	마음에 집착 없거늘
奚形役(해형역)	어찌 육체의 종이 되며
道本無名(도본무명기가성)	도는 본래 이름할 수 없거늘
豈假成(기가성)	어찌 이름을 붙이리
宿霧未晞(숙무미희)	간밤의 안개 촉촉한데
山鳥語(산조어)	산새들은 지저귀고
春風不盡(춘풍부진)	봄바람 살랑이니
野花明(야화명)	들꽃이 환하네
短筇歸去(단공귀거천봉정)	지팡이 짚고 돌아가는 길
千峯靜(천봉정)	일천 봉우리 고요하고
翠壁亂煙(취벽난연)	푸른 절벽에 어지런 안개
生晩晴(생만청)16)	느지막이 개네

---

16) 終마칠(종),日날(일),芒까끄라기(망),鞋신(혜),信믿을(신).脚다리(각),行
갈(행)
一한(일),山산(산),行갈(행),盡다할(진),一한(일),山산(산),靑푸를(청)
心마음(심),非아닐(비),有있을(유),像고정된 모양(상),奚어찌(해),形몸
(형),役부릴(역)

-김시습(金時習, 1435~1493), 〈증준상인(贈晙上人)[17]
중 제8수〉

　세종 때 오세 신동이라 불리던 김시습은 여러분도 잘 아시다시피 조카 단종에게서 왕위를 빼앗은 세조에게 분노하여 평생을 관직 생활을 하지 않고 자유로이 전국의 산천을 유람하고 방랑한 길 위의 시인입니다. 이 시는 그가 전라도 순천 조계산(曹溪山) 송광사(松廣寺)에서 가르침을 받았던 승려 준(晙)에게 바친 시입니다.

　그의 시를 보고 있노라면 그의 여행길이 마치 눈앞에 살아 있는 듯 그려지지 않나요? 마음에 집착 없이

道도(도), 本본래(본), 無없을(무), 名이름지을(명), 豈어찌(기), 假가짜, 거짓(가), 成이룰, 갖출(성)

宿묵을, 지난밤(숙), 霧안개(무), 未아직~않을(미) 晞마를(희), 山산(산), 鳥새(조), 語말하다, 노래하다(어)

春봄(춘), 風바람(풍), 不않을(부), 盡다할(진), 野들(야), 花꽃(화), 明밝을(명)

短짧을(단), 筇지팡이(공), 歸돌아갈(귀), 去갈(거), 千일천(천), 峯봉우리(봉), 靜고요할(정)

翠푸를(취), 壁절벽(벽), 亂어지러울(난), 煙안개(연), 生생길(생), 晚늦을(만), 晴개다(청)

17) 贈드리다(증), 晙밝다(준), 上人(상인, 스님): 준스님에게 드리다

한발 한발 떼고 있노라면 누구나 자신을 잊고 대상과 하나가 되는 물아일체(物我一體)를 경험할 수 있으리라 생각됩니다.

땀 흘리며 산 고개를 넘어가다 잠시 쉬어가려는 그 순간 때마침 봄바람이 산들산들 불어오고 산새들 지저귀며 일천 봉우리와 푸른 절벽에 느지막히 안개가 개고 있는 모습이 눈에 들어옵니다. 우리가 자연을 자주 접하고 충분히 접속해야 하는 이유가 충분히 되겠지요

35년 이상을 야외에서 생활하며 자연 접속 프로젝트 이사이자 환경교육을 위한 워크샵과 자연접속 프로그램을 진행하고 있는 마이클 코헨은 그의 저서 《자연에 말 걸기(Reconneting with nature)》에서 자연과의 접속의 중요성을 다음과 같이 말하고 있습니다.

우리는 보통 온전하고 건강한 자연 감각을 타고난다. 그 감각들이 둔화되기 전까지는 의식적, 무의식적으로 번성한다. 그들은 끊임없이 자연 속 자신의 근원과 접속하며 충족의 즐거움을 추구한다. 이렇게 방해받지 않고, 단절되거

나 불만족한 고통을 피하는 것이다. 자연의 감각적 지혜가 사람들 안에서 충족될 때 편안함과 만족감이 일어난다. 그것은 삶의 온전함에 도움이 된다. 그러나 충족되지 못하면 감각적 만족과 사랑에 대한 욕구를 일으킨다.

　자연 감각과 느낌들은 우리의 다중적인 개성이며, 우리 내면에 있는 아이의 진정한 본성이다. 책임감 있게 삶을 즐기기 위해서는 각각의 순수한 자연 감각에 주의를 주고, 신뢰로 양육해야 한다. 각각의 자연 감각은 아름답고 비언어적인 지성과 사랑이다. 자연 감각 하나하나는 안정성과 생존, 온전한 정신에 자신만의 공헌을 하며 각자의 가치를 지닌다. 산업사회는 우리의 의식과 자연의 고결함으로부터 이러한 감각을 차단하는 많은 조작된 스토리들을 만들어냈다. 자연에 말 걸기 과정을 통해 이러한 조작과 개인, 사회, 환경에 대한 관계에의 역효과를 되돌릴 수 있다.

　타고난 자연 감각과 느낌의 회복, 하나 됨이란 영적 감수성과 감각을 회복할 수 있을 때만이 우리는 안정과 생존, 편안함과 만족감이라는 회복탄력성을 키울 수 있게 됩니다. 속도 위주의 경쟁 사회의 흐름과는 반대로 오늘부터 천천히 자연과 나 자신의 자연 감각에 말을 걸어 보는 건 어떨까요?

10대 생각

· 자연은 풍요롭고 그것을 느끼게 되면 마음에 상쾌함이나 좋은 영향을 받을 수 있기 때문에 충분히 자주 자연을 접해야 한다.

· 여러 가지 일들로 힘이 들 때 엄마와 자주 산책을 하곤 한다. 그럴 때 자연의 모습이 더 눈에 들어오고 아름다움을 느낄 수 있어 좋다.

· 나도 발길 가는 데로 길을 자연을 느끼고 보고 싶다. 그것을 충분히 접촉하면 몸과 마음이 맑아지므로 많이 느껴볼 필요가 있다.

· 새들을 보고 좋은 자연의 냄새를 마시고 느끼며 자주 걸어야겠다는 생각을 하게 되어 감사하다.

· 친구들과 현장 체험학습을 가서 잔디 위에 돗자리를 펴고 도시락을 먹었던 기억이 난다. 자연을 느낄 수 있으면 아름다움을 알게 되고 그것을 보호해야겠다는 마음도 들게

될 것이다.

• 자연은 인간의 욕심이 낄 곳이 없고 많은 생명들을 살 수 있게 해주므로 그것을 본받을 수 있도록 자주 그리고 충분히 접촉하고 느껴보아야 한다.

• 모든 것은 자연에서 생기고 그것에서 혜택을 받고 누리기에 우리는 자연에 대해 감사하고 키를 기울일 필요가 있다. 꼭 캠페인에 참가해 자연을 지키는 것이 아니라 글을 쓰고 눈에 담고 그림을 그리는 일도 그것에 키를 기울이는 하나의 방법이라고 생각한다. 우리에 자연에서 나고 자랐기 때문에 그것에 접촉하지 않으면 건강, 몸뿐만이 아니라 정서적 · 정신적으로 건강한 삶을 누릴 수 없으므로 자연을 가까이해야 한다.

• 발길 닿는 대로 다니다 보니 내 고장의 몇몇 건물들 빼고는 다 한 번씩 지나가 본 것 같다. 걷는 것을 좋아해서 다행이고 자연 속에서 몸과 마음을 가꿀 수 있어 감사하다.

- 작가가 보고 있는 광경이 생생하게 내 머릿속에 그려지는 것 같아 좋았다. 가족들과 가을에 단풍으로 물든 공원에 간 기억이 떠올랐다. 자연은 우리에게 심신의 안정감과 편안함을 주므로 자주 그리고 충분히 접해야 한다고 생각한다.

- 자연이 우리를 편안하게 해주고 추억을 만들어주며 힘들 때 고민을 털어놓을 수 있게 해주어 감사하다.

- 자유로이 가고 싶은 대로 가고 쉬고 싶을 때 쉴 수 있는 여정이 참 좋은 것 같다. 자연이 있기에 우리가 있으므로 늘 접촉하고 느끼며 살펴야겠다는 생각이 들었다.

♣ 나를 돌아보는 물음

1. 여러분은 발길 닿는 대로 여행을 해본 경험이 있나요? 그때의 느낌은 어땠는지요?
2. 우리가 자연을 자주 접촉하고 충분히 느껴보아야 하는 이유는 무엇일까요?

11. 쌀 한 톨의 무게

　이번 시간에는 선현들의 농(農)에 관한 인식을 잘 알 수 있는 글을 살펴보고자 합니다. 인용해 보면 다음과 같습니다.

　一粒一粒安可輕(일립일립불가경)
　한 톨 한 톨을 어찌 가벼이 여기랴
　係人生死與富貧(계인생사여부빈)
　사람의 생사와 빈부가 달렸는데
　我敬農夫如敬佛(아경농부여경불)
　나는 농부를 부처님처럼 존경하나니
　佛猶難活已飢人(불유난활이기인)
　부처님도 굶주린 사람은 살리기 어렵다네

　- **이규보(李奎報 1168~1241), 〈햅쌀의 노래[신곡행(新穀行)]〉**[18]

---

18) 李 성씨 (리) 奎 별 (규) 報 알리다 (보) 新 새 (신) 穀 곡식 (곡) 行 시의 형식 중 하나 (행)

    고려 중기의 문인인 이규보는 '햅쌀의 노래'에서 쌀 한 톨의 가치를 잘 설명하고 있습니다. 오늘날과 같이 먹거리가 넘쳐나고 원하는 것은 수입할 수 있는 시대에 십 원짜리 동전처럼 쌀 한 톨은 쉽게 쓰고 내다 버릴 수 있는 하찮은 것일 수 있습니다.

    그러나 이규보는 쌀 한 톨 한 톨을 가볍게 여길 수 없다고 말하고 있습니다. 쌀 한 톨을 얻기 위해서는 햇볕, 비와 바람, 흙, 그 속의 보이지 않는 미생물의 작용과 곡식을 자식같이 돌보는 농부의 피와 땀, 수고 어린 정성이 들어가기 마련입니다.

    우리가 먹는 밥 한 그릇에는 3,000알~4,000알의 쌀알이 들어 있는데, 이것은 벼 세 포기에서 나오는 낱알의 수입니다. 여기에는 투구새우 4마리, 올챙이 35마리, 풍년새우 11마리, 깔따구 168마리가 밥 한 그릇과 공존하는 개체들입니다. 벼 세 포기가 자라는 데는 0.15제곱 미터의 논의 면적이 필요하지만 이렇게 다양한 생물군들이 생태적 다양성을 이루며 살아가고 있습니다.

    -김선미, 『살림의 밥상』, 55~57쪽에서 재인용

오늘날 농촌의 현실은 암울하기만 합니다. 우리나라의 식량자급률은 24%에 불과하며 생명의 젖줄인 농업의 위기 즉, 삼농(농업, 농촌, 농민)문제가 심각하게 대두되고 있습니다. 값싼 수입품과 높아진 인건비, 농민 인구의 고령화, 정부 정책의 미비로 인해 농민들에게 실질적인 도움은커녕 고통만을 안겨주고 있습니다. 장기적인 불황으로 인해 도시에서 일자리를 구하지 못하는 청년들이 귀농과 귀촌을 하고 지역 자치단체에서 지원을 하고 있다고 하지만 이 역시 소수에 불과하며 근본적인 농업에 대한 대책이 될 수는 없습니다.

농촌의 공동화(空洞化) 현상을 해결하기 위해서는 첫째, 농업을 공익사업으로 규정하고 농민을 국가공무원으로 처우를 격상시키려는 사회적 공론화와 숙의, 합의의 과정이 필요합니다.(강수돌, 「경제민주화를 말하다」, 『녹색평론』 156호, 18쪽.) 얼마 전 경기도에서는 전국지자체 최초로 농민에게 먼저 기본소득을 제공하자는 조례안 심의를 앞두고 있다고 합니다.(백종수 기자, "농민기본소득, 꼭 필요한 정책... 공감대 형성 노력할 것"(농업인 신문. 2020.10.12.) 생명을 살리는 일과 농촌의 아름다운 경관을 책임지고 관리하고 있는 생명 예술가인 농민부터 기본소득을 우선 지급하자는 공론에 내심 기쁜 마음이 들었습니다.

둘째, 논 생명, 씨앗을 비롯한 생명의 가치에 대한 사회적 홍보와 교육, 자급과 자치, 도시와 농촌에서 텃밭 가꾸기, 도농 직거래와 같은 참여와 체험의 공감대가 선행될 때 농촌의 공동화(空洞化)는 공동화(共同化)로 이어질 수 있을 것입니다.

쌀 한 톨의 무게는 고작 0.02g밖에 나가지 않지만 그 가치는 경제적 논리로 환산할 수 없습니다. 농부는 의사, 소방관처럼 사람의 생명을 살릴 뿐만 아니라 흙, 미생물, 잡초, 풀, 비바람, 햇빛 등을 망라한 자연계와 삼라만상을 다루고 공경하는 '보살'입니다. 그러니 뭇 생명을 살리며 온 우주의 생명 에너지가 담긴 쌀 한 톨을 어찌 가벼이 여길 수 있겠는지요?

쌀 한 톨의 무게는 하늘과 자연, 우주 삼라만상의 존재만큼의 가치를 지니고 있는게 아닐까 생각해 봅니다.

몇 해 전 TV 프로그램 「공감(共感)」에서 강원도의 고랭지 배추 농사 현장을 다큐멘터리 형태로 방영한 적이 있었습니다. 농부들이 배추를 돌보고 수확하는 광경이 감사하고 소중하게 느껴졌습니다. 이 다큐멘터리 중 한 장면이 저의 시심(詩心)을 떠오르게 했습니다. 부끄럽지만 인용해 보면 다음과 같습니다.

배추는 녹색 장미
밝은 햇살 아래
어린아이마냥
활짝 웃고 있네
나도 모르게
덩달아 미소짓네

이 시가 뜨거운 뙤약볕 아래 노동하며 소중한 땀방울을 훔치는 농부들의 노고와 정성 어린 마음에 조금이나마 위로가 되었으면 하는 바람을 가져 봅니다.

우리 10대들은 이 시를 읽고 어떤 생각을 가지게 되었을까요?

10대 생각

• 작은 것도 소중히 대해야겠다고 생각하게 되었다.

• 급식을 먹다 보면 먹는 것보다 버리는 음식들이 더 많아서 지구에게 항상 미안하다고 느꼈다. 요즘 먹거리가 풍부하니 먹거리의 소중함을 잘 몰라 음식 쓰레기가 쌓여만 가는 것 같아 지구에게 미안하다.

• 여태껏 쌀 한 톨을 대수롭지 않게 생각했다. 이 시를 읽고 쌀을 수확하는 농부들이 어쩌면 부처님보다도 대단한 존재라는 생각이 들었다.

• 가끔씩 밥을 먹다 보면 밥을 남기게 될 때도 있고 다 먹을 때도 있다. 밥을 남길 때마다 농부들께 미안한 마음이 들고 있다. 농부들이 벼 세 포기를 만들 동안 나는 그것을 버리고 있다는 사실에 죄송한 마음이 든다.

• 쌀 한 톨의 무게는 우리가 밥을 먹을 때 너무 많이 남김을 돌아볼 수 있게 해준다. 쌀은 우리에게 좋은 영향을 주니 그것을 지구처럼 소중히 대하라는 의미인 것 같다.

• 농부가 밭에서 자연에서 일하면서 식물과 곡식을 키우는 일 자체가 삶의 예술이라 생각한다.

• 이 자그마한 쌀 한 톨이 얼마나 소중하고 농민들이 열심히 일해서 우리가 잘 먹고 잘 수 있는 것이라 생각한다. 오늘 밤 8시에 지구의 날 소등 행사를 할 텐데 작년보다 더 많은 인원이 참석해서 지구의 날을 되새겼으면 한다.

• 쌀 한 톨의 무게는 각자에게 다르게 느껴질 것이다. 어떤 사람에게는 흔하게 느껴지겠지만 어떤 사람들에게는 간절히 원하는 것일 것이다. 사람의 생명을 살리는 쌀 한 톨은 그것을 간절히 원하는 사람에게는 그 가치를 가늠할 수 없을 만큼 소중하다.

• 쌀 한 톨의 소중함을 느끼게 되었다. 이 소중한 것에 감사하며 지구에 있는 모든 것들을 아껴야겠다는 생각이 들었다.

• 농부들이 농사를 지음으로써 먹거리를 제공해 주고 우리에게 살아갈 힘을 선물해주기에 농부를 자연과 삶의 예술가라고 부르는 것 같다.

• 쌀 한 톨을 얻기 위해서는 수많은 벼를 키워야 한다. 벼는 우리 지구를 지켜주는 일을 한다. 공기를 맑게 해줄 수도 있고 사람들이 먹고살 수 있게 해주기 때문이다.

• 농민들이 열심히 벼를 키우시는 정성과 우리가 밥을 먹을 수 있음에 감사하다.

• 지구와 농부가 생명을 살리기 위한 수고와 정성에 감사한 마

음이 들었다.

• 우리가 배고픔 없이 음식을 마음껏 먹을 수 있어 농민들에게 감사하다. 코로나19로 인해 농민들도 농사짓기 어려우실 텐데 우리가 굶주림 없이 살 수 있게 쌀 한 톨 한 톨을 소중히 다루어 주셔서 감사하다.

• 코로나 팬데믹으로 고생하고 계신데도 불구하고 우리의 밥심을 지켜주셔서 감사하다.

♣ 나를 돌아보는 물음

1. 쌀 한 톨은 여러분에게 어떤 의미로 다가오는지요?
2. 농민에게 기본소득을 먼저 시행하자는 정책에 대해 여러분의 의견은 무엇인가요?
3. 농부를 하늘과 땅, 자연을 잇는 삶의 예술가라고 부르는 이유는 무엇일까요

12. 일군 대로 먹고 사니

이번 시간에는 지난 시간에 이어 상촌 신흠의 글들을 계속 살펴보고자 합니다. <시골살이[촌속(村俗)]>라는 시입니다.

村俗雖云野(촌속수운야) 시골살이 촌스럽다 말들 하지만
方之市朝優(방지시조우) 도회지 생활보다 낫고말고요
逢年是爲樂(봉년시위락) 풍년 들면 그게 곧 즐거움이요
食力復何羞(식력부하수) 일군 대로 먹고사니 부끄럼 없네
事簡元無累(사간원무루) 하는 일 간소하여 얽매임 없고
心閑少所求(심한소소구) 마음이 넉넉하여 욕심도 적소
靑門有瓜地(청문유과지) 문밖에 오이밭 일궈 놨으니
我與爾將傳(아여이장주)¹⁹⁾나는야 옛사람²⁰⁾과 함께 할테야

– 신흠, 〈촌속(村俗)〉

---

19) 村시골(촌),俗풍속(속),雖비록~하더라도(수),云이를(운),野촌스러울(야)
　方견줄(방),之이것(지),市도시(시),朝조정(조),優나을(우)
　逢만날(봉),年풍년(년),是이(시),爲삼을(위),樂즐거움(락)
　食먹을(식),力힘쓸(력),復다시(부),何무슨(하),羞부끄러움(수)
　事일(사),簡줄일(간),元으뜸(원),無없을(무),累얽매임(루)
　心마음(심),閑넉넉할(한),少적어질(소),所바(소),求구할(구)
　靑푸를(청),門문(문),有있을(유),瓜오이(과),地밭(지)
　我나(아),與와(여),爾너(이),將장차(장),傳짝,함께할(주)

20) 중국 진(秦)나라 때 관리 소평(김坪)을 가리킵니다. 그는 나라가 망하자 다시 벼슬하지 않고 장안성(長安城) 청문(靑門) 밖에서 오이 농사를 지으며 살았다고 합니다.

이 시를 읽고 나니 여러분은 어떤 생각이 드나요? 저는 자기 소유든 남에게 빌려서 썼든 간에 남의 힘에 의존하지 않고 스스로 땅을 일구어 그곳에서 난 먹거리(벼, 보리, 밀, 각종 채소와 과일)를 자기 삶에 필요한 물품을 스스로 구하고 만족[자급자족(自給自足)]해하는 삶이 떠올랐습니다.

요즘처럼 문명화된 시대에 땅을 일구는 일은 사람이 아닌 기계가 다 한다고 해도 과언(誇言:지나친 말)이 아닙니다. 기계로 농사를 지으면 빨리 지을 수 있고 많은 양을 생산할 수 있지만 과연 자연의 흐름과 속도에 순응하는 삶이라고 할 수 있을까요? 오히려 기계를 대여하거나 사는 데 든 비용을 갚아나가느라 그것에 얽매이게 되지는 않을까요?

문명화된 시대의 속도가 아닌 나만의 속도로 땅을 일구고 수확하는 기쁨은 내면의 풍요와 노동의 기쁨을 느낄 수 있게 됩니다. 스마트폰이나 컴퓨터 화면을 들여다보지 않고 새소리, 물소리, 흙 속의 살아 있는 생명들을 보듬으면서 손수 땅을 일구는 삶이야말로 가치 있는 삶이 아닐까 생각해 봅니다. 물론 다른 직업 활동을 깎아내리고자 하는 것은 아닙니다. 기도하는 삶, 나 아닌 다른 것(타인, 흙, 동식물, 바위, 바다, 계곡 등)을 보살피고 친절을 베풀며 사랑하는 일은 그 어떤 가치 활동에 비할 바 없이 소중한 일입니다.

기후 위기는 에너지 위기, 삶의 터전의 상실, 종 다양성의 상실이기도 하고 먹거리의 상실을 불러옵니다. 꼭 시골이 아니더라도 가정에서 혹은 빌딩의 옥상에서 학교와 직장에서도 조그마한 여유 공간이 있다면 우리는 도시 텃밭 가꾸기를 실천할 수 있습니다.

요즘에는 수직으로 된 식물 가꾸기 시설도 늘어나고 있는 추세입니다. 우리가 여러 사람들의 삶의 지혜를 모은다면 도시 농업에 관한 다양한 아이디어들을 떠올릴 수 있다고 생각합니다. 생명을 가꾸고 돌볼 줄 알 때, 수확한 생산물을 이웃과 함께 나눌 줄 알 때 우리의 생태적 삶과 지혜는 더욱 성숙되리라 생각됩니다.

지금도 늦지 않았습니다. 이 시의 제목처럼 일군 대로 먹고 살 줄 아는 마음의 넉넉한 품과 생태적 삶의 기술을 함께 넓히고 키워 나가보는 건 어떨까요?

10대 생각

· 앞으로 욕심 없는 삶을 살아야겠다는 생각이 들었고 물건을 살 때도 정말 나에게 필요한 것만 사야겠다는 다짐도 하게 되었다.

· 자기 삶에 필요한 물품을 스스로 구하고 만족할 줄 아는 삶의 모습이란 어떤 것일까 하고 떠올려 보게 되었다.

· 시골은 도시와 기술 발달 면에서 완전히 차이가 나지만 기술만이 발달했다고 해서 좋은 것은 아니라는 것을 깨달았다. 앞으로는 시골에서 좋은 공기 맡으며 살고 싶다.

· 돈에 욕심을 부리지 않고 작은 행복에도 즐거워할 수 있는 삶과 너무 큰 행복을 바라지 않고, 내 옆에 있는 사소한 행복에도 웃으며 욕심을 버리며 살고 싶다.

· 작은 것이라도 부끄럼 없이 살아가고 고마워 할줄 아는 삶을 살아야겠다는 생각이 들었다.

· 남의 것에 질투하지 않고 초라한 삶이라도 만족하며

살아가는 것이 욕심 없는 삶이라 생각된다. 나 스스로 무언가 해낼 수 있는 게 있다면 만족할 수 있을 것 같다.

• 욕심 없는 삶이란 꾸준히 노력하고 오직 성과에만 목매지 않는 삶이라고 생각한다. 내가 자급자족할 수 있는 일에는 우선 지금 학생으로서 해야 하는 일인 공부도 하고 내가 할 수 있는 일은 어떤 것이 있는지 알아보고 실천해보려고 한다.

• 나도 무엇이든 나의 삶에 필요한 물품을 스스로 구하고 만들 수 있어야 한다는 생각에 동의한다. 기계를 대여하거나 사는데 비용을 써버리는 바람에 그것에 얽매이게 되는 삶을 살지는 않을 것이다.

• 나 혼자 나의 힘으로 해내는 삶을 살 줄 알고 주어진 삶에 만족하라는 깨우침을 준 글을 읽게 되어 감사하다.

• 시에서는 화자가 다른 이의 손을 빌리지 않고 모든 것을 혼자하고 있었는데, 현재의 나는 혼자 할 수 있는 것이

없었다. 자급자족하며 살아갈 방도가 없다는 것이니 한 편으로는 부끄럽게 느껴졌다. 또, 시인은 스스로 했으니 부끄러움과 얽매일 일이 없다고 하였다. 그렇다면 나는 어디에 얽매어 있는 걸까? 생각해 보니 바로 가족에게 얽매어 있는 삶을 살고 있었다. 앞으로는 가족들에게 너무 많이 의존하기보다 내가 혼자 할 수 있는 일을 넓혀가고, 이들을 더욱 소중히 대해야겠다고 생각했다.

♣ 나를 돌아보는 물음

1. 욕심없는 삶이란 어떤 삶을 말하는 걸까요?
2. 10대로서 여러분이 자급자족할 수 있는 일에는 무엇이 있을까요?

13. 시골로 돌아와

耕田南山側(경전남산측) 남쪽 산모퉁이에 밭을 일구고
結廬北山曲(결로북산곡) 북쪽 산굽이엔 오두막을 지었네
朝出到壟上(조출도농상) 아침엔 밭에 나가 일을 하고
暮歸理書策(모귀리서책) 저녁엔 돌아와서 책을 읽네
傍人笑我勤(방인소아근) 주변에선 나의 고생 비웃겠지만
我自以爲樂(아자이위락) 내게는 더없는 즐거움이라네
始知請學稼(시지청학가) 이제야 알겠네, 농사일 배우는 게
猶勝問干祿(유승문간록)21) 벼슬하는 것보다 더 낫다는 것을

－장유, 〈歸田漫賦(귀전만부)22)〉 중 제 5수

이번 시간에는 상촌 신흠과 더불어 조선 중기 4대 문
장가 중 한 분인 계곡(谿谷) 장유(1587~1638)의 전원시

---

21) 耕밭갈(경), 田밭(전), 南남녘(남)山산(산)側곁, 모퉁이(측)
   結맺을(결)廬오두막(로)北북녘(북)山산(산)曲굽이(곡)
   朝아침(조), 出날(출), 到이를(도), 壟밭두둑(롱), 上위, 가(상)
   暮저녁(모), 歸돌아올(귀)理탐구할(리)書책(서), 策책(책)
   傍곁(방), 人사람(인)笑웃을(소)我나(아), 勤부지런할, 괴로워할(근)
   我나(아)自스스로(자)以써(이)爲여길(위)樂즐거움(락)
   始비로소(지), 知알다(지), 請청할(청), 學배울(학), 稼농사(가)
   猶오히려(우), 勝나을(승), 問물을(문), 干구할(간), 祿벼슬(록)
22) 歸돌아갈(귀), 田밭(전), 漫멋대로(만), 賦읊다, 한시의 형식(부)

(田園詩: 시골 일을 노래한 시)를 살펴볼까 합니다. 시인은 볕 잘드는 남쪽 산모퉁이에는 밭을 일구고 북쪽을 등지고 오두막 한 칸을 지어서 살고 있습니다. 해 뜨면 밭에 나가 일하고 해지면 글공부를 합니다. 그야말로 주경야독(畫耕夜讀: 낮에는 일하고 밤에는 공부함)의 삶을 실천하고 있습니다.

장유의 삶의 철학을 잘 알 리 없는 주변 친구들은 왜 벼슬하면서 편하게 살지 않고 '사서 고생하느냐'고 비웃지만 자연의 리듬에 따라 순리대로 살아가는 삶이 인생의 가장 큰 즐거움임을 그대들이 오히려 잘 모르고 있다며 지인들을 비웃고 있는 것 같습니다.

시인이 "농사일 배우는 게/벼슬하는 것보다 더 낫다"고 말한 이유는 무엇일까요? 여러분도 잘 아시다시피 현대 사회는 눈뜨는 순간부터 정신없이 바쁘게 돌아가고 있습니다. 아침에 힘겹게 잠자리에서 일어나 세수하고 아침을 챙겨먹고 나가기 무섭게 정해진 일과에 따라 그날 수업을 꼼짝없이 들어야 합니다. 때로는 늦잠을 잤을 경우 아침밥은 건너뛴 채 학교로 달려갑니다.

여러분의 부모님의 삶 또한 다르지 않습니다. 여러분보다 먼저 일어나서 가족의 아침을 챙긴 뒤에 여러분을 깨우고 본인의 출근을 서두릅니다. 직장에 나가지 않는 부모님이 계시다면 그나마 아내와 남편, 아이들이 출근한 뒤에 약간의 여유가 생길지 모르겠습니다.

현대 생활이 이와 같다면 우리는 도대체 왜 이렇게 바쁘며 또 이와 같은 생활을 반복하고 있을까요? 조금 더 깨어 있고 용기 있는 사람들은 일부러 귀농과 귀촌을 해서 도시 생활에서의 시간과 공간의 느낌을 달리하여 살아가고자 노력하고 있습니다.

우리가 나랏일이나 회사 일, 학업에 얽매이다 보면 정작 '나는 누구이며 무엇을 위해 존재하는가'라는 물음에 대한 답을 찾는 데 소홀하기 십상입니다. 깨어 있는 삶, 내면이 충만한 삶은 어떤 삶일까요? 시인은 나랏일에 해방되어 전원(田園)에서 삶이 고되긴 하지만 남에게 양보하기 싫은 즐거운 삶이라고 노래하고 있습니다. 곧 남의 지시에 따른 삶이 아닌 스스로가 계획한 일정에 따라서 땀흘리고 흙과 생명을 돌보며 자연의 이치에 따른 순환적인 삶, 느린 삶이 자신을 지키는 방법이자 내면의 순수함을 유지할 수 있기 때문이 아닐까요?

시골에 살면 누릴 수 있는 혜택 또한 다양합니다. 신선한 공기와 사시사철에 따라 피는 꽃과 나무, 열매, 곡식, 날짐승과 들짐승이 친구가 되어 주고 커다란 그늘 밑과 시원한 계곡 속에 발을 담그고 있노라면 세상의 근심 걱정, 탐욕, 물욕(物慾: 물질에 대한 욕심), 권력에 대한 욕구, 질투와 원한 등에서 자연히 멀어지게 됩니다.

낮에 열심히 밭일하고 밤에 책을 읽다 보면 현대인의 고질병인 수면 부족과 우울증, 스트레스, 스마트폰 중독에서 벗어나 자연스레 하늘을 닮은 자연을 닮은 내면이 충만한 삶을 살 수 있게 되지 않을까 생각해 봅니다.

10대 생각

 농사를 짓고 사는 사람은 직장인처럼 아주 바쁘게 안 살아도 되고 자연을 조금 더 가까이서 느낄 수 있게 될 것이다. 자연의 흐름에 따라 농사를 짓고 그 수확물을 먹으면서 '내가 농사를 아주 열심히 참 잘 지었구나' 라는 만족감과 함께 자연에 대한 감사의 마음을 가지게 될 것 같다.

• 밭일을 하는 것을 남들은 비웃지만 지은이가 만족하는 것처럼 내가 미래에 할 일이 비록 남들이 비웃는 일이어도 내가 만족하면 된다는 것을 느꼈다.

• 나도 복잡하고 시끄러운 도시에서 벗어나 조용하고 맑은 공기가 있는 시골로 가서 살고 싶다는 생각이 들었다. 무엇보다 높은 벼슬을 가지고 풍요롭게 사는 것보다 직접 농사일과 공부를 병행하면서 만족하며 살 줄 아는 글쓴이가 대단하게 느껴졌다.

• 농사일을 배우며 농사짓는 일은 머리의 잡생각을 없애고 자신에게 오롯이 집중하며 살 수 있게 해준다. 자신

이 하고 싶은 대로 할 수 있고 직접 가꾸어낸 밭을 보면 뿌듯한 마음이 들 것 같다.

• 직장생활은 매일 똑같은 패턴으로 매일 일을 하기에 지루하고 빨리 퇴근하고 싶다는 감정을 느끼게 되지만, 농사일은 매번 맑은 공기와 좋은 풍경을 보면서 편한 마음으로 일을 할 수 있어 좋을 것 같다. 농사는 나에게 마음의 휴식을 주며 수확물을 다른 사람이 맛있게 먹는 모습을 보게 된다면 마음의 뿌듯함을 느끼게 될 것 같다.

• 자연에 리듬에 따라 순리대로 살아갈 수 있다면 몸이 건강해지고 지위와 일에 얽매이지 않아 스트레스를 받을 일 또한 적다. 그리고 농사를 지으며 살게 되면 부지런하게 살아갈 수 있어서 좋은 것 같다.

• 농사짓고 사는 사람이 직장생활을 하며 사는 삶보다 좋은 점은 자신에게 쓸 수 있는 시간이 더 많아져서 자신의 내면을 더 잘 가꿀 수 있는 사람이 될 수 있기 때문이다.

• 직장생활은 내가 계획하여 사는 삶이 아니라 타인이

세운 계획 아래에서 그가 원하는 일을 해야 하므로 자신의 욕구와 바람을 해소하기 어렵다. 반면 시골 생활은 오직 내가 원하는 때에 농사를 짓고, 자급자족할 수 있으니 나의 욕구와 바람이 충족되며 온전히 내가 중심인 삶을 살아갈 수 있게 된다.

자연의 흐름에 따라 농사를 지으며 살면, 자연에서 주는 행복과 감사함을 몸소 느낄 수 있고, 그것의 감사함을 깨달았으니 타인에게 감사하는 법도 자연스레 스며들게 되고, 나의 욕구와 바람을 해소하며 생활할 수 있으니 보다 큰 만족감이 들며 욕구 불만으로 인한 화는 줄어들게 될 것이다.

• 이 글을 읽고 나니 내게 큰 로망이었던 '어른이 되어 대기업에서 직장생활을 하며 삶을 만끽하는 것' 일이 부질없다는 생각이 들었다. 시골에서 자연과 더불어 살아가며 바람이 솔솔 부는 정자에 자리를 잡고 앉아 공부하거나 대청마루에 앉아 시원한 수박을 먹는 일이 왠지 모르게 그리워지고 그런 생활을 누리고 싶다는 마음이 들게 되었다.

• 직장생활은 사람들과 맞춰가며 지내야 하지만 농사

일은 내가 먹고 살 수 있는 만큼만 지으면 되고 남을 위해서가 아니라 나를 위해서 하는 일이기 때문에 만족감이 클 것 같다. 자연을 벗 삼아 살면 내가 겪는 힘든 일은 이곳에서는 별거 아니라는 생각이 들어 내 삶이 별로 힘들게 느껴지지 않을 것 같다.

♣ 나를 돌아보는 물음

1. 농사짓고 사는 삶이 기후 위기 시대에 중요한 이유는 무엇일까요?
2. 자연의 흐름에 따라 농사지으며 사는 삶이 나에게 어떤 만족감이나 의미를 줄 수 있을까요?

14. 농부의 일

人心如日月(인심여일월)　　사람의 마음은 해와 달 같아
本來皆淸淨(본래개청정)　　본래 모두 맑고 깨끗하건만
利欲多蔽晦(리욕다폐회)　　이익과 욕심에 눈이 멀어
紛紛事趨競(분분사추경)　　어지럽게 다투며 경쟁하누나
農夫雖作苦(농부수작고)　　농부의 일 비록 고달프긴 하지만
却不枉天性(각불왕천성)　　본래의 성품을 지켜주는 일이라네
君看脅肩子(군간협견자)　　어깨를 으쓱이며 아첨하는 이들 보면
夏畦未爲病(하휴미위병)[23]　여름철 농사일 힘들 것 하나 없다네

　　　　　　　-장유, 〈歸田漫賦(귀전만부)〉 중 제 7수

　　이번 시간에는 지난 시간에 있어 계곡(谿谷) 장유
(1588~1638)의 〈농부의 일〉에 대해 함께 이야기를 나

---

23) 人사람(인),心마음(심),如같을(여),日해(일),月달(월)
　　本근본(본)來오다(래),皆모두(개),淸맑을(청),淨깨끗할(정)
　　利이익(리)欲욕심(욕)多많을(다)蔽가려질(폐)晦어두울(회)
　　紛어지러울(분),紛어지러울(분),事일(사)趨달릴,쫓을(추),競다툴(경)
　　農농사(농)夫사람(부),雖비록~하더라도(수),作지을,일할(작),苦괴로울,고생할(고)
　　却도리어(각),不않을(불),枉굽힐(왕),天하늘(천),性성품(성)
　　君그대(군),看볼(간),脅으쓱거릴(협)肩어깨(견),子사람(자)
　　夏여름(하),畦밭,농사(휴),未아닐(미),爲되다(위),病병(병)

- 104 -

누어 보고자 합니다. 선현들은 한결같이 농부의 일 즉, 농사를 인간과 자연의 본래 모습을 회복하고 지켜 주는 일이라고 노래하고 있습니다. 물론 이때의 농사 는 미국식의 기계를 이용한 대규모 농업을 말하는 것 은 아닙니다.

우리가 기계를 사용함으로써 의식주에 필요로 하는 최소한의 생필품들보다 보다 빠르게 보다 많이 생산 하며 편리함을 누리게 되었지만 오히려 그러한 생활 이 사람과 자연을 물질화하고 기계의 노예가 되도록 부추기는 부작용을 낳기도 하였습니다.

'이익과 욕심에 눈이 멀어/어지럽게 다투며 경쟁'한 다는 말이 바로 그것입니다. 이로 인해 본래 해와 달 과 같이 밝은 눈과 마음, 올곧은 정신은 사라지고 이 익만을 다투는 삶을 살아가게 되었음을 어렵지 않게 생각해 볼 수 있습니다.

농부의 일이 왜 타고난 본래의 성품을 지켜주는 일 이라고 시인은 말하고 있을까요? 농부는 아침 일찍 일어나 해가 질 때까지 허리 숙여 일을 하며 농작물의 상태를 살피게 됩니다. 농작물은 농부의 발소리를 듣고 자란다는 얘기를 한 번쯤 들어보셨지요? 그만큼 부지런함과 생명을 자주 돌아보고 관심을 갖고 살피려는 마음을 필수적으로 갖추어야 한다는 뜻이기도 합니다.

우리가 집에서 고양이나, 강아지 등 반려동물을 돌보더라도 어디 마음 놓고 집을 비우기가 마음에 걸리곤 하지요. 생명을 다루고 돌보는 일이 그만큼 마음 씀과 그것을 아끼고 사랑하는 마음이 더 크기 때문에 우리는 이 모든 불편함을 감수하고서라도 생명 키우는 일에 애를 쓰곤 합니다.

농부의 일 또한 이와 다르지 않다고 생각합니다. 흙과 생명을 대하며 한없이 겸손해지게 되고 땀 흘리며 육체와 생명의 한계를 느끼게 됩니다. 주어진 환경과 삶에 만족하며 욕심부리지 않으며 일이 비록 고되고 힘들더라도 정성껏 생명 돌봄 활동을 한 결과로 수확의 기쁨을 누릴 수 있게 됩니다. 그리고 수확물을 통해 이웃과의 나눔도 실천할 수 있기에 자연의 본성에 더 가까워지게 된다고 시인은 말하고 있는 건 아닐까요?

 이제는 앞만 보며 뛰어갈 것이 아니라 '자연의 속도'
에 걸맞은 생활을 실천해 나가야 하지 않을까요? 나
에게 꼭 필요한 것들을 필요한 만큼만 가지도록 노력
하고 생명의 기술자인 농부처럼 자연과 주변 생명, 생
명 없는 것을 돌보아가며 살아갈 줄 아는 생태적 지
혜가 기후 위기 시대에 절실히 요구되고 있습니다. 자
급자족할 줄 아는 농부의 삶의 자세와 지혜야말로 기
후 위기 시대에 하나의 대안이 될 수 있지 않을까 생
각해 봅니다.

10대 생각

· 농부의 일은 농작물과 함께 온전히 자연의 속도로 이뤄지기 때문에 본래의 성품을 지켜주는 일이라고 말할 수 있다. 본래의 성품을 지키기 위해서는 농부처럼 작은 생명이라도 소중히 여기는 마음이 중요하다고 생각했다.

· 농부가 되어 농사를 짓게 되면 욕심부리지 않고 내가 필요한 만큼만 가지도록 노력하게 되고 자연을 바라보며 살게 된다. 10대로서 나의 본래의 성품을 지키기 위해 할 수 있는 일에는 농부처럼 자그마한 텃밭을 길러보는 일일 것이다.

· 농부의 일은 본래의 성품을 지켜주는 일이라 말 할 수 있는 이유는 농부는 자연과 주변 생명, 생명 없는 것도 소중히 돌보기 때문이다. 내가 10대로서 할 수 있는 일에는 사소한 생명, 생명이 없는 것도 소중히 생각하고 아끼며 돌보는 것을 들 수 있다.

· 이익과 돈 생각만 하지 말고 주변 생명과 생명 없는 것도 돌보아가며 살아야 겠다고 느꼈다.

- 우리는 옛날방식을 벗어나 인공지능과 함께 살아가고 있다. 하지만 인공지능으로 인해 편리해진 것도 많지만 점점 기계가 없으면 아무것도 스스로 할 수 없어진 것 같기도 하다.

- "농부의 일 비록 고달프긴 하지만 / 본래의 성품을 지켜주는 일이라네"라는 시구에서 농사짓는 일은 힘들기만 하고 하찮은 일이 아닌 정말 중요한 일임을 느꼈다.

- 농부의 마음으로 생명과 생명 없는 것을 돌보며 살아야겠다는 마음을 가지게 되었다.

- 기계를 쓰지 않는 농사는 '사람과 자연을 물질화하지 않는다' 것을 배웠다. 10대로서 우리는 자신에게 꼭 필요한 것만 가지도록 노력해야 한다.

- 식물을 키우면 인내심이 는다. 자신의 성품을 지키는 방법은 자신에게 알맞은 일을 찾는 것이며 이를 위해 내 삶의 속도를 조절할 줄 아는 것이 중요함을 느꼈다.

- 나의 이익과 욕심에 눈이 멀어 자연의 속도를 무시한

채 무작정 혼자서 달리기만 하는 것이 꼭 좋은 일은 아니라는 것을 알게 되었다. 너무 서두르지 말고 자연의 속도에 맞춰 욕심을 줄이며 모든 것을 소중히 다룰 줄 아는 삶이 더 좋다는 것을 느꼈다.

• 이익과 욕심에 눈이 멀지 않도록 남을 배려하고 나눌 줄 아는 자세를 가지며 긍정적이거나 좋은 말들을 해야겠다고 생각했다.

• 분명 살아가는 데에는 약간의 거짓과 번지르르한 화술이 필요하지만, 자신의 진정성도 보여줄 줄 알아야 더욱 잘 살 수 있다는 것을 알게 되었다. 또, 이러한 진정성을 선조들은 농사로 지켜왔다는 것도 알게 되었다. 농사는 그저 노동 정도로 생각했었는데 아니었다. 이 시대에 농사를 대체할 것은 무엇이 있을지 궁금해졌다.

♣ 나를 돌아보는 물음

1. 사람의 마음이 해와 달과 같다고 볼 수 있는 근거는 무엇일까요?
2. 10대로서 나의 본래의 성품을 지키기 위해 할 수 있는 일에는 무엇이 있을까요?

15. 쇠고기를 어이 먹으리

牛能於甫田(우능어보전)	소는 큰 밭도 잘 갈아
耕出多少穀(경출다소곡)	많은 곡식 가꿔 낸다네
無穀人何生(무곡인하생)	곡식이 없으면 사람이 어찌 살꼬
人命所自屬(인명소자속)	사람 목숨도 모두 여기 달렸지
又能馱重物(우능태중물)	게다가 무거운 짐까지 지니
以代人力蹙(이대인력축)	사람 힘 모자란 걸 대신해 주네
雖然名是牛(수연명시우)	비록 그 이름 소라 하지만
不可視賤畜(불가시천축)	하찮은 가축으로 봐선 안 되네
何忍食其肉(하인식기육)	어찌 차마 쇠고기를 먹어
要滿椰子腹(요만야자복)	이 조그만 배를 채우려 하리
可笑杜陵翁(가소두릉옹)	가소롭구나, 당나라 시인 두보[24]는 열흘 굶다가
死日飽牛肉(사일포우육)[25]	쇠고기 포식하고 세상 떴다지

---

24) 杜陵翁(두릉옹): 두릉의 늙은이, 당나라 시인 두보(杜甫, 712~770))를 말함. 자(字는) 자미(子美), 호(號)는 소릉야로(少陵野老), 별명(別名)은 시성(詩聖:시의 성인). 성씨인 두(杜)와 호인 소릉(少陵)의 능(陵)을 따서 두릉(杜陵)이라고 불림.

25) 牛소(우),能잘할(능),於~에(어),甫클(보),田밭(전)
耕밭갈(경),出나올(출),多많을(다),少(적을(소),穀곡식(곡)
無없을(무),穀곡식(곡),人사람(인),何어찌(하),生살(생)
人사람(인),命목숨(명),所바,것(소),自절로,스스로(자),屬속할(속)
又또(우),能할수있을(능),馱싣다(태),重무거울(중),物물건(물)
以써(이),代대신할(대),人사람(인),力힘(력),蹙오그라들,막힐(척)

이번 시간에는 고려 중기 문장가이자 오늘날로 치면 국무총리를 지낸 이규보의 <쇠고기를 어이 먹으리 [단우육(斷牛肉)]>라는 시를 함께 공부하고자 합니다.

예나 지금이나 소는 우리에게는 없어서는 안 될 가족 같은 친숙한 동물입니다. 소의 크나큰 눈망울을 쳐다보고 있자면 참 순하고 순수한 동물이라는 생각이 듭니다. 지금은 경운기가 소의 일을 대신하고 있지만 시골에 가면 아직도 소를 이용해서 무거운 짐을 실어 달구지를 끈다든지 밭을 가는 모습을 간혹 볼 수가 있습니다.

예전에는 부모님께서 자식의 뒷바라지를 하기 위해

雖비록~하더라도(수), 然그러나(연), 名이름(명), 是바로(시), 牛소(우)
不없을(불), 可할수있을(가), 視볼(시), 賤천할(천), 畜가축(축)
何어찌(하), 忍차마~하지못할(인)食먹을(식), 其그(기), 肉고기(육)
要하려고할(요), 滿채울(만), 椰야자나무(야), 子열매(자), 腹배(복)
可할만할(가), 笑웃을(소), 杜팥배나무, 성씨(두), 陵언덕(릉), 翁늙은이(옹)
死죽을(사), 日날(일), 飽배부를(포), 牛소(우), 肉고기(육)
26) 斷끊을(단), 牛소(우), 肉고기(육)

소를 팔아서 대학 등록금을 대기도 하였습니다. 이렇게 인간에게 여러모로 유익한 가족 같은 소를 필요에 의해 팔거나 도살장으로 보내게 될 때는 참 마음이 안 좋으리라 생각됩니다.

요즘은 서구식 식습관으로 인해 소고기 한 마리를 키우고 먹기 위해 들어가는 사료라든지 물의 양이 엄청나게 소비되고 낭비가 심하다고 합니다. 사료는 못 사는 나라, 가난한 나라의 사람들에 의해 길러지지만 정작 이 나라 사람들은 그 곡물을 먹지 못하고 수출을 한다고 하니 참 안타까운 실정입니다.

소의 트림에 의해 발생하는 메탄가스의 양은 극히 미미하며 공장식 축산이 지구 온난화의 주범임을 《소고기를 위한 변론》의 저자 니콜렛 한 니먼은 과학적 근거와 실제 소를 키워본 체험을 통해 말하고 있습니다. 인간은 본래 오장육부가 채식에 맞게 설계되었다고 합니다. 그리고 내가 먹는 음식이 나의 몸과 마음, 생각을 형성한다고 합니다.

이제는 육식을 조금씩 줄여나가고 내가 손수 기른

채소와 과일, 곡류를 섭취해 나가는 양을 늘려간다면 환경도 살리고 가난한 나라의 사람들도 살릴 수 있는 길이 되지 않을까 생각해 봅니다.

10대 생각

• 소는 항상 우리에게 많은 도움을 주는 동물이라고 생각한다. 육식을 하지 않는다면 맛있는 고기를 먹지 못해 아쉬울 수도 있지만 나를 더 건강하게 만들 수 있고 동물을 아끼는 마음이 더 많이 생길 것 같다.

• 소가 없었다면 지금 우리가 잘 먹으며 잘살 수 있었을까? 하는 생각이 들었다. 시골에 내려가면 가축 냄새가 싫었는데 지금 생각해보니 하찮은 가축이 아니라 고맙게 여길 동물이란 걸 알게 되어 조금 부끄러웠다. 또, 아무 생각 없이 소고기를 먹었었는데 앞으로는 '감사하며 먹어야겠구나' 하고 생각하게 되었다.

• 시골에서 자주 봤던 가축이라, 시골에 계신 할머니가 생각나는 동물이다. 채식을 위주로 하는 삶을 산다면, 일단 몸의 노폐물도 적어지고 건강해질 것 같다. 마음도 몸이 좋아진 만큼 활기차고 긍정적으로 변할 듯싶다.

• 나에게 소란 아낌없이 주는 나무라는 의미로 다가온다. 육식보다 채식을 위주로 하는 삶을 산다면 나의 몸은 더욱 건강해지게 될 것이다. 소와 같은 동물들을 먹기 위해

사료와 물이 소비되지 않아 환경오염이 덜 될 것이고 자신이 환경오염을 막을 수 있는 행동을 했다고 생각되어 마음이 뿌듯해지고 정신도 더 건강해지게 될 것이다.

• 내가 몰랐던 환경오염의 원인을 바로 알고 그것을 줄여 나가며 환경을 보호해야 한다는 당위성과 올바른 마음가짐을 갖게 되어 감사하다.

• 소는 우리의 짐도 대신 들어주고 곡식도 가꿔주어 우리에게 큰 도움이 되는 결코 하찮지 않은 가족임을 느꼈다.

• 많은 사람들이 살아가면서 소를 접하는 일이 한두 번이 아닐 것이다. 하지만 모든 사람이 전부 소를 아끼며 살진 않는 것 같다. 소는 옛날도 지금도 변함없이 사람들에게 좋은 것을 나눠주는 고마운 생물인 것 같다.

• 그동안 다른 동물들은 불쌍하다고 느낀 적이 많고 동물들을 소중히 대하자는 문구나 동물들을 위해 마스크 줄을 잘라 버리는 일은 자주 봤지만 소를 아끼는 일은 본 적이 없는 것 같다. 그래서 나부터 조금씩 어떤 일을 할 수 있을지 생각해봐야겠다는 계기가 되어 감사하다.

• 소는 친구 같은 동물이다. 우리를 대신해 소가 농사를 지어준 덕분에 곡식들을 먹을 수 있어 감사한 마음이 들었다. 그리고 채식을 더 많이 하면 동물의 생명도 살리고 더 아낄 수 있을 것 같다.

• 소는 맛있는 동물로만 여겼는데 글을 읽어 보니 농업 활동에 중요한 역할을 하던 소중한 존재였다는 것을 알게 되었다.

• 갑자기 소한테 너무 미안해지는 마음도 들고 양심이 조금 찔린다. 사람들이 소를 먹음으로써 가난한 나라 사람들은 더 가난해지고 우리의 환경은 메탄가스로 인해 지구 온난화를 더 빠르게 하고 있다는 사실을 몰랐는데 알고 나니 우리 모두를 위해서라도 소를 덜 먹어야겠다고 생각했다.

♣ 나를 돌아보는 물음

1. 여러분에게 소라는 동물은 어떤 의미로 다가오나요?
2. 육식보다 채식을 위주로 하는 삶을 산다면 나의 몸과 마음, 정신에 어떤 변화가 생길까요?

16. 시골 풍경

一間茅屋倚山岡(일간모옥의산강)　언덕에 기댄 초가집 한 칸
場畔翁姑語正長(장반옹고어정장)　마당 한켠엔 노부부의
　　　　　　　　　　　　　　　　이야기가 한창
未解平生榮爵祿(미해평생영작록)　벼슬이 영예인 줄 평생 모르고
只誇卒歲富農桑(지과졸세부농상)　한 해 농사 잘된 것만 자랑이라오
溪橋日晚牛羊下(계교일만우양하)　시냇물 다리 위로 해 떨어지니
　　　　　　　　　　　　　　　　소들이 돌아오고
秋壟風高禾秫香(추롱풍고화출향)　가을 언덕에 바람 높아 벼 냄새
　　　　　　　　　　　　　　　　향기롭네
待得兒童沽白酒(대득아동고백주)　아이놈 술사오길 기다렸다가
旋炊菰飯喚人嘗(선취고반환인상)27)밥 짓고 사람들 불러 함께 마시네

-김시습, 〈전가즉사(田家卽事)28)〉

---

27) 一한(일),間칸,방(간),茅띠풀(모),屋집(옥),倚기댈(의),山산(산),岡언덕(강)
場마당(장),畔곁,가(반),翁할아버지(옹),姑할머니(고),語이야기(어)正마침(정),長길
(장)
未않을(미),解받아들일(해),平이루어질(평),生삶(생),榮영화,영광(영),爵벼슬(작),
祿벼슬(록)
只다만(지),誇자랑할(과),卒마칠(졸),歲해(세),富넉넉할(부),農농사(농),桑누에칠
(상)
溪시내(계),橋다리(교),日해(일),晚지다(만),牛소(우),羊양(양),下돌아올,내려올(하)
秋가을(추),壟언덕(롱),風바람(풍),高높을(고),禾벼(화),秫찰벼(출),香향기로울(향)
待기다릴(대),得얻을(득),兒아이(아),童아이(동),沽사다,구하다(고),白흰(백),酒술
(주)
旋데울(선),炊불땔(취),菰버섯(고),飯밥(반),喚부를(환),人사람(인),嘗맛볼(상)

- 118 -

이번 시간에는 지난 시간에 이어 김시습의 <시골 풍경>을 묘사한 시를 함께 공부하고자 합니다. 1, 2구를 보면 우리 농촌의 할아버지, 할머니들의 모습이 떠오르지 않나요? 높은 지위와 명예는 쳐다보지도 않고 오직 땅을 바라보고 일구며 한평생 살아오신 모습을 엿볼 수 있습니다.

석양을 배경 위로 목동과 함께 소들이 돌아오는 모습, 가을 언덕 바람에 산들산들 흔들리며 풍기는 벼 내음, 이 모든 풍경을 그림으로 나타내어도 아름답고 평화로워 보이지 않을까요?

우리 선조들은 수확의 기쁨을 혼자 나누지 않고 이웃을 불러 함께 나눌 줄 아는 가난하지만 온정이 담긴 삶을 담고 누릴 줄 알았습니다.

"벼슬이 영예인 줄 모르고/한 해 농사 잘된 것만 자랑이라오"라는 시구에서 세속적인 성공과 명예욕은 이들 시골 노부부의 삶에서 찾아보기가 어렵습니다. 농부의 하루의 근심이자 평생의 근심은 오직 '농사가 잘

---

28) 田밭,시골(전),家집(가),卽가까이할,나아갈(즉),事일(사)

되었느냐' 하는 것입니다.

 고려 중기 문인 이규보는 국가나 의사가 대신할 수 없는 굶주린 백성을 살리는 사람은 오직 농부뿐이며 그를 부처님처럼 공경한다고 <햅쌀의 노래[신곡행(新穀行)>에서 노래하고 있습니다. 농사라는 것이 사람의 힘만으로는 불가능하지요. 하늘에서는 비와 구름과 바람이, 땅에서는 사람과 곤충과 풀벌레와 지렁이, 흙 속의 수많은 미생물들이 함께 자연의 순리에 따라 온 힘을 기울어야지만 낟알과 각종 열매와 채소를 수확할 수가 있습니다.

 자연의 이치만을 바라보고 살아가는 농부가 어찌 권력을 탐하고 명예를 추구하며 다른 사람을 밟고 내가 잘 되려고 하는 마음을 품을 수가 있겠는지요?

 시냇물 다리 위로 해 떨어지자 소들이 돌아오는 시각적 풍경, 가을 언덕 위로 불어오는 바람이 전하는 벼 냄새의 향기는 영화의 한 장면을 연상케 할 정도로 그 묘사가 뛰어나고 우리의 온 감각을 자극하고 있습니다. 수많은 아파트와 빌딩숲, 도로와 자동차

경적 소리, 매연으로 둘러쌓인 도시 생활에서는 상상할 수도 없는 전원의 평화로운 풍경입니다. 이들 풍경을 통해 우리 내면의 영성을 살찌우고 자연 앞에 겸손함을 배우게 되는 것이겠지요

맹자는 여민락(與民樂)이라고 해서 좋은 것이 있으면 다른 사람들과 함께 즐길 줄 아는 선한 본성을 지녀야 한다고 주장했습니다. 시골의 살림살이 비록 넉넉하지 않지만 우리 선조들은 추수(가을걷이) 후 남은 곡식으로 술을 빚고 땅에서 나는 각종 곡물과 야채, 과일 등으로 나눌 줄 아는 여유와 풍류를 지녔습니다. 규모는 작지만 정성은 크며 내가 가진 것을 나눌 줄 아는 나눔과 봉사, 환대(歡待:기쁘게 맞이함)의 정신이야 말로 기후 위기 시대를 살아가는 생태적 지혜이자 덕목이 아닐까 생각해 봅니다.

흙을 매만지고 북돋우며 가만히 얼굴에 대어 보는 행동은 친밀감의 표현이자 내면을 어루만지는 숭고한 행위라고 생각합니다. 우리가 흙에서 자연에서 그리고 지구 생명공동체에서 멀어지는 행위를 지속적으로 행하고 있다면 이 시를 계기로 우리 자신을 한 번 더

되돌아보고 흙의 의미를 다시 한번 성찰해 봤으면 하
는 마음을 가져봅니다.

10대 생각

- 엎드린 밭두렁 강아지풀 살랑살랑
  노랗게 물든 벼 시골 냄새
  바람 타고 전해 오네

- 논에서는 바람이 선선히 불고
  구수한 향이 골목마다 피어나네
  얼굴 서로 나누어 익히 알고 있고
  부족할지라도 웃으며 농사 애기 나누네

- 본디 사람이라면 지위와 명예, 돈을 탐낼 수 있을 텐
  데 그 애기는 꺼내지도 않고 한 해 농사 자랑만 한다니
  놀라웠다. 고소한 곡물 냄새 맡으며 소곤소곤 이야기 나누는
  분위기가 참 부러웠다. 또 나눠 먹는 밥상은 요즘 시대에
  흔히 볼 수 없는 풍경이라 더 부럽기도 했다.

- 내가 가진 것을 이웃과 나눌 줄 알면 내가 받는 기쁨
  과 행복이 두 배가 된다고 생각한다.

- 어릴 때부터 할머니가 이웃과 나누고 사시는 모습을 늘 봐왔

는데 그녀의 삶을 통해 나누고 사는 삶의 중요성에 대해 알게
되어 감사하다.

• 시골 하면 사람들 간에 정이 많고 따스한 모습이 떠오
른다. 시골 마을은 사람들이 돈을 벌기 위해 오지 않으므로
재산 다툼이 적고 남에게 베푸는 사람이 많은 것 같다.

• 높은 자리나 돈은 외면을 풍요롭게 만들어 주지만 온정
과 행복은 내면을 풍요롭게 만들어주는 것 같다. 내면을 가
꿀 줄 알게 되면 언젠가 외면도 함께 풍요로워질 것 같다.

• 나눔의 실천은 하나가 둘로 둘은 셋으로 많으면 많을수록
그리고 함께 할수록 좋은 것 같다. 서로에게 필요한 것을 나누
다 보면 서로에게 좋은 일이 많이 생길 것이라 생각한다.

• 시골 마을의 풍경은 시끄러운 차소리와 미세먼지 없이
깨끗한 하늘에 살랑살랑 벼들이 바람에 흔들리는 평화로
운 모습일 것 같다.

• 할머니, 할아버지들이 논밭에서 일하시는 모습, 바람이
불 때 산에 있는 나무와 마을을 지키고 있는 나무들이 흔들

리는 풍경이 떠오른다.

· 내가 생각하는 시골 풍경은 풀과 꽃이 넓게 펼쳐져 있고 아이들이 반바지, 반팔 차림으로 흙을 만지며 평화로이 놀고 있는 모습이다.

· 함께 즐길 수 있는 이웃과 아름다운 풍경이 있는 시골이 있어 감사한 마음이 들었다.

· 내가 가진 것을 이웃과 나누며 함께 누려야 하는 이유는 나눌수록 기쁨이 배가 되기 때문이다. 나의 내면에 잠재돼 있는 시골 마을의 풍경은 맑은 하늘과 순수한 아이들이 뛰어노는 모습이다.

♣ 나를 돌아보는 물음

1. 내가 가진 것을 이웃과 나누고 함께 누려야 하는 이유는 무엇일까요?
2. 여러분의 내면에 잠재돼 있는 평화로운 시골 마을의 풍경은 어떤 모습인가요?

17. 기암자에게

靜居觀物理(정거관물리)　고요히 사물의 이치를 살피면
煩心自滌浣(번심자척완)　머릿속 복잡한 생각 절로 씻겨
　　　　　　　　　　　나가네
群生共宇內(군생공우내)　우주 속에 함께 살아가는 뭇 생명
萬品歸一算(만품귀일산)　만물은 하나의 지혜로 모이나니
登高與居下(등고여거하)　높은 곳에 오르든 낮은 곳으로
　　　　　　　　　　　내려오든
未可較長短(미가교장단)　잘나고 못나고는 따질 수가 없네
瓦礫各有適(와력각유적)29)기왓장도 조약돌도 각기 쓸모가
　　　　　　　　　　　있으니

－장유(張維, 1587-1638), 〈우중기기암자(雨中奇畸庵子)30)〉

현대인들은 물질적 풍요와 편리한 생활을 누리고

---

29) 靜고요할(정),居있을(거),觀살필(관),物사물(물),理이치(리)
　　煩복잡할(번),心마음(심),自절로(자),滌씻길(척),浣씻길(완)
　　群여러(군),生생명(생),共함께(공),宇우주(우),內안(내)
　　萬모든(만),品사물(품),歸돌아갈(귀),一하나(일),算셈,지혜(산)
　　登오를(등),高높을(고),與와(여),居있을(거),下낮을(하)
　　未않을(미),可옳을(가)較비교할(교),長잘남(장),短못남(단)
　　瓦기와(와),礫조약돌(력),各각각(각),有있을(유),適알맞음,마땅함(적)
30) 雨비(우),中가운데,속(중),奇부칠(기),畸돼기밭,갖추지 못함(기),庵암자
　　(암),子사람(자)

있음에도 불구하고 늘 무언가에 쫓기듯 바삐 살아갑니다. 10대들은 학교 및 학원에 부모님은 직장에 얽매여 정작 고요히 자신과 사물을 돌아보고 삶의 의미를 찾는 시간을 내기에는 역부족인 경우가 많습니다.

이 글은 장유가 절친한 벗인 기암(畸庵) 정홍명(鄭弘溟, 1582~1650)에게 보낸 시입니다. 새벽 시간, 하루 일과 중이나 일과 후에 잠시 시간을 내어 명상을 통해 복잡다단한 생각들은 과감히 흘려보내고 우주 대자연 속에 본래 빛나고 있는 나 자신과 사물의 참모습을 호흡하고 성찰하라는 메시지를 전하고 있습니다.

깊은 우주적 사유와 생태적 삶을 돌아봄을 일상화하게 되면 나와 타인을 비교하는 마음은 눈 녹듯 사라지게 되고 사물 각자의 쓰임새와 자신에게 주어진 사명을 깨달아가게 됩니다.

호흡하고 성찰하며 우주 대자연의 일원으로서 욕심내지 말고 자신과 만물에 부끄럽지 않은 자연 친화적, 생태적, 자족적인 삶을 함께 살아가자고 벗에게 권하고 있음을 알 수 있습니다.

나와 지구별에 살아가는 여러 생명의 존재 이유는 무엇일까요? 장유는 "우주 속에 함께 살아가는 뭇 생명/만물은 하나의 지혜로 모인"다고 말하고 있습니다. 여기서 만물은 왜 하나의 지혜로 모인다고 말하고 있을까요?

우리는 친절(親切)의 의미에 대해서 되짚어 볼 필요가 있을 것 같습니다. 친절은 사전적 의미는 '친하고 정성스럽다'입니다. 누구에게 친하고 정성스러워야 할까요? 나와 가까운 사람, 나의 반려동물과 반려식물에게만 그래야 할까요? 친절은 나 아닌 타자(무생물, 자연, 동식물, 인간, 지구공동체, 우주 등)에 대해 너와 내가 둘이 아니며 같은 감각과 감정, 인식을 느끼고 공유하는 것이라고 합니다. 크게 말하면 우주 대자연과 나는 같은 부류라는 동류(同類) 의식을 말합니다.

인도 출신의 녹색 환경운동가이며 평화운동가인 사티시 쿠마르는 그의 저서 《그대가 있어 내가 있다 (You Are Therefore I am)》에서 자연과 나는 하나이며 서로가 생태계의 그물망 중의 하나라는 만물 동류의식을 잘 보여주고 있습니다. 불교에서는 연기설(緣起說)이라고 하여 이것이 있기에 저것이 있다는 의식을 잘 보여주고 있습니다.

 자연을 훼손하면 곧 나를 훼손하는 것이기에 그 대가를 우리가 지금 몸소 체험하고 있지 않는가요? 기왓장과 조약돌도 각기 쓸모가 있듯 우리가 지구 생명체를 존중하며 공존하기 위해서는 어떤 노력을 기울이며 살아가야 할까요?

10대 생각

• 서로에게 배려와 귀를 기울여가면서 소통하려 애쓰고 서로 의지하면서 살아가야 할 것 같다. 서로 욕심 없이 살아가기 위해서는 의지와 노력이 필요하다.

• 기왓장과 조약돌의 쓰임새를 찾는 것보다 나를 비롯한 사람들의 쓸모를 찾는 게 더 어려울 수 있다고 생각했다. 왜냐하면 꿈을 아직 정하지 못한 사람도 내가 뭘 잘할 수 있는지 아직 모르는 사람이 있기 때문이다. 이에 내가 잘 할 수 있는 일을 발전시키면 나의 쓸모를 찾을 수 있을 것이라 생각한다. 우주에서 나는 아주 작지만 그 쓸모는 크도록 많은 일을 해내고 싶다.

• 나의 쓸모는 자기 자신에게 도움이 되고 남에게도 해를 끼치지 않는 사람이 되는 것이다. 지구공동체 속에서 쓸모 있는 사람이 될 수 있도록 노력해 나갈 것이다. 나, 가족, 친구, 사물들에 대해 깊이 생각해보고 그들과 살아가면서 피해를 주지 않으며 서로에게 도움이 되는 주의 깊은 행동을 해야 한다.

• 삶의 틈에서 오는 여유 시간을 그냥 흘려보내지는 말아

야겠단 생각이 든다. 일과를 전부 마치고, 늦게서야 찾아오는 피로감에 짧게나마 있는 시간조차도 유용하게 쓰기는커녕 아무것도 못 하고 넘길 때가 많았다. 그러나 오늘 이 글을 읽고 시간이 나면 나는 대로 이것저것 생각을 해봐야 할 필요성을 느꼈다. 최선으로 시간을 쓰며 나와 주변 사물, 그리고 생명에 대해서 차츰차츰 하나씩 생각하다 보면 긍정적인 일이 많이 생길 것이라 생각한다.

· 조약돌도 쓸모가 있다는 말에 공감했다. 무엇이든 쓸모가 있으니 태어난다고 생각하는 사람으로서, 장유가 멋있고 사물의 본 모습을 꿰뚫어 볼 줄 아는 사람이라고 생각되어 그를 본받고 싶다는 생각을 하게 되었다.

· 항상 더 좋고 밝은 생각과 삶의 여유를 가져야겠다는 생각을 하게 되어 감사하다.

· 바쁜 시간 속에서도 자신을 돌아보고 마음을 정리할 수 있는 명상 시간을 가져보는 것도 좋겠다는 생각이 들었다. 그리고 다른 사람들과의 경쟁과 나의 일에 욕심부리지 않고 자연과 더불어 자족적인 삶을 살아갈 수 있도록 노력해야겠다고 생각했다.

- 만물은 모두 다 우리에게 필요한 것이지만 우리가 더 좋은 것만을 원해 다른 것은 쓸모없다고 생각하게 된 것 같다.

- 쓸모없다고 생각했던 것이 다시 돌아보면 그 하나하나가 다 쓸모가 있다는 것을 새삼 깨우치게 되었다. 사람에게는 배려하는 마음을, 사물에게는 아끼는 마음을, 동식물에게는 사랑하는 마음을 나눠주면 지구공동체와 더불어 잘 살 수 있다는 생각이 든다.

- 세상에는 쓸모없어 보이는 것도 언젠가는 쓸 때가 있다는 것을 알게 되었다. 똥도 거름으로 쓰이고 바닥에 굴러다니는 돌도 깎아서 물건을 만들 수 있다. 이처럼 모든 것은 꼭 쓰일 때가 있다는 것을 알게 되었다.

♣ 나를 돌아보는 물음

1. 기왓장도 조약돌도 나름의 쓸모가 있습니다. 우주 대자연 속 나의 쓸모는 무엇일 까요?
2. 지구공동체 속에서 여러 생명, 사물들과 함께 잘 살아가려면 나는 어떤 노력을 기울여야 할까요?

18. 몽당붓 사랑

此筆那輕擲(차필나경척)　이 붓 어찌 함부로 던져 버리랴
能成宰相身(능성재상신)　나를 국무총리로 만들어 주었는데
今吾頭亦禿(금오두역독)　이제 내 머리도 똑같이 벗겨졌으니
兩老合相親(양로합상친)[31]　두 늙은이 서로 친하게 지내면
　　　　　　　　　　　되겠네

 -이규보(李奎報, 1168-1241), 〈희제구필(戱題舊筆)[32]〉

　우리는 '물건'이 넘쳐나는 풍요의 시대에 살고 있습니다. 제가 몸담고 있는 교실을 둘러봐도 연필, 지우개, 빗, 볼펜, 샤프 등이 주인을 잃은 채 아무 데나 널부러져 있되 정작 그 주인인 잃어버린 물건을 찾을 줄 모릅니다. 다시 사면 되기도 하고 그만한 애정을 깃들일 시간적, 정신적 여유도 없기 때문이기도 하며 궁핍함을 모르고 살아왔기 때문이기도 합니다.

---

31) 此이(차), 筆붓(필), 那어찌(나), 輕가벼이(경), 擲던질(척)
　　能하다(능), 成만들(성), 宰재상(재), 相재상(상), 身(몸)
　　今이제(금), 吾나(오), 頭머리(두), 亦또한(역), 禿대머리(독)
　　兩둘(량), 老늙은이(노), 合합할(합), 相서로(상), 親친할(친)
32) 戱놀릴(희), 題글쓸(제), 舊옛, 오랠(구), 筆붓(필)

우리 옛 선현들은 사물을 대하는 마음가짐은 어땠을까요? 이번 시간 함께 공부할 시는 고려 중기 시인이자 철학자인 이규보의 <오랜 세월 함께한 붓 친구를 재미로 노래하다[희제구필(戱題舊筆)]>입니다.

요즘 서예를 배우기 위해 붓 한자루를 구입하려면 '한글 쓰기용 붓'은 3만원이 넘어가고 '한자 쓰기용 붓'은 5만원 정도 합니다. 학생 신분으로 붓을 구입하기에는 만만치 않은 물건이지요. 예전 시대에는 필기구가 붓뿐이며 '웬만큼 경제적 여유가 있는 사대부 집안이 아니면 쉽게 그것을 쓰다가 버리지는 못했겠지요

이 시를 보며 어릴 때 읽고 들었던 자린고비 이야기가 생각납니다. 돈이 없어서 먹을 것을 아낀 것이 아닌 생활 습관 자체가 자신이 가진 것을 남에게 베풀 줄 모르는 그 자린고비입니다. 반찬을 아끼기 위해 천장에 굴비 한 마리를 매달아 놓고 그것을 바라보며 밥 한술 뜨고 '아이고 고놈 맛있겠네' 하고 또 한술 떴던 그 이야기입니다.

저 자신 또한 교직 생활을 하며 생활인으로서 미래를 대비하고자, 자녀 양육과 교육을 위해, 재테크를 위해 남에

게 베풀어야 할 때 제대로 베풀지 못하고 쓸 돈 쓰지 않으며 인색한 삶을 살지 않았나 반성해 봅니다.

또 다른 관점인데요. 물과 종이, 석유 아껴 쓰고 사용 절제하기, 옷가지 아껴 입고 고쳐 입기, 차량 운행하지 않기, 새 옷과 새 신발 사 입지 않기, 욕망과 유행에 따라 필요 없는 물건 구입하지 않기, 가까운 거리는 걷고 먼 거리는 버스나 기차 이용하기, 생명 함부로 대하지 않기, 겨울을 나는 동물을 위해 감나무에 감 다 따지 않기, 들고양이 집 만들어주기, 불필요한 쓰레기 만들지 않기, 샤워 오래 하지 않기, 틈날 때마다 순환과 재생에 대해 고민하고 실천해 보기 등은 사물과 타자에 인색한 것이 아닌 베풂과 나눔의 실천이자 지구공동체를 사랑하는 일이라고 생각됩니다. 나만의 이익을 위해서가 아닌 후손과 뒷세대를 위한 책임 의식이자 사랑의 실천이기도 합니다.

때로는 낙서를 위해, 밑바탕 그림을 그리기도 하고, 수학 문제도 풀고, 영어도 쓰며, 글쓰기도 할 수 있는, 다양한 우리의 표현 욕구를 만족시켜 주는 필기 도구에게 오늘부터라도 자신만의 빛깔로 감사의 표현을 해보는 건 어떨까요? 누가 알는지요? 나만의 필기구를 소중히 다루다 보면 이규보처럼 자신의 꿈을 그것이 실현시켜 줄지를요.

　중요하고 가치 있는 건 눈에 잘 보이거나 띄진 않지만 혹시 압니까? 그것을 대하는 우리의 마음 자세와 태도에 따라 자신의 모습을 드러내어 우리와 지구 생명공동체 구성원들을 기쁘게 하는 작은 기적을 불러올지를요

　검소와 검약이 인색이 아닌 나와 타자(자연, 미생물, 물, 모든 생명 가진 것과 그렇지 않은 것)에 대한 예의이자 같은 지구공동체 구성원으로서의 사랑의 실천입니다. 물자가 넘치는 시대, 돈이면 원하는 것을 살 수 있는 편리한 세상에 나의 욕구와 욕심에 반대되는 행동을 실천할 줄 아는 용기와 지혜가 지구 온난화 시대에 요구되는 덕목이자 자질이라는 생각이 듭니다.

　지구공동체, 나와 타자를 자세히 알게 되면 그것을 아끼게 되고 함부로 대하지 않게 되고 애정 어린 눈으로 바라보며 사랑하게 되지 않을까요?

10대 생각

· 중요한 가치는 눈에 잘 보이지 않는다. 눈에 보이지 않는 그것에 감사해야겠다는 마음이 들었다.

· 내가 중요하게 여기는 사물은 우리 집이다. 포근하고 아늑하며 우리 가족의 쉼터가 되기 때문이다.

· 여태껏 학용품을 함부로 대했는데 이 글을 읽고 그것을 아껴쓰고 소중히 대해야겠다는 생각이 들었다.

· 오늘날 우리가 기록할 수 있도록 샤프, 연필, 지우개 등을 만들어 주신 분들께 감사한 마음이 들었다.

· 나를 행복하게 해주고 궁금한 것도 찾아볼 수 있으며 다양한 활동을 할 수 있게 해주는 아이패드가 내가 아끼는 사물이다.

· 오늘날의 우리는 물건을 잘 아껴 쓰지 않지만 옛사람들은 사소한 물건 하나라도 아껴 썼다는 것을 알게 되었다. 앞으로는 나를 포함한 모든 사람들이 사물을 아껴 썼으면

좋겠다.

• 필기구는 수업 자료에 쓸 수 있고 잘못 썼을 때 지울 수도 있다. 다양한 색깔로 자신을 표현하듯 우리들도 다양한 빛깔과 모습으로 자신을 빛냈으면 좋겠다.

• 내가 평소에 소중하게 여기는 물건만 아끼고 다른 물건을 헤프게 썼던 점을 반성하게 되었다. 이 글을 읽으면서 내가 아끼는 물건들을 떠올려 보고 그 물건과의 추억들도 떠올려 보게 되었다. 라기를 성찰하고 미래를 예측해볼 수 있어 여러모로 즐겁고 유쾌한 시간이었다.

• 색연필은 내가 그림 연습할 때마다 함께 한 동지이고 점점 깎이면서 나의 작품들, 나의 성취감과 그림 실력도 나날이 늘어가게 해주었다. 그림을 친구들과 공유하며 행복한 추억을 만들어 주기도 한 고마운 물건이다.

• 필기구는 내가 수업 시간에 필기할 때 함께 하면서 지식을 채워주고 그림을 그릴 때도 많은 작품을 만들어내도록 도와주는 친구와 같은 존재이다. 앞으로도 같이 나이가 들면서 더 많은 추억을 함께 쌓아나가기를 바라본다.

• 내가 아끼는 사물은 피아노다. 어렸을 때부터 그것과 장난도 치고 대회 연습, 그냥 연습 등 피아노를 많이 쳐서 정이 많이 들었다. 예전에는 피아노 의자에 일기장을 숨겨놓고 그것에서 먹고 자고 하는 등 많은 추억을 함께 쌓았다. 또 부모님께서 그것을 버리려고 하셔서 싸우며 말렸던 기억이 난다. 이런 이유로 피아노를 더 소중하게 여기게 되었다.

♣ 나를 돌아보는 물음

1. 여러분이 아끼는 사물은 무엇이며 그것을 아끼는 이유는 무엇인지요?
2. 여러분에게 '필기구'는 어떤 의미인지요? 지구 사랑과 관련하여 적어보세요.

♣ 참고문헌

강국주, 《깨끗한 매미처럼 향기로운 귤처럼》, 돌베개, 2008

강명관, 《성호 세상을 논하다》, 자음과모음, 2011

김선미, 《살림의 밥상》, 동녘, 2010

김수진, 《풀이 되고 나무가 되고 강물이 되어》, 돌베개, 2006.

김하라, 《욕심을 잊으면 새들의 친구가 되네》, 돌베개, 2006.

박수밀, 《옛 공부벌레들의 좌우명》, 샘터사, 2015

박희병, 《선인들의 공부법》, 돌베개, 2015

　　　, 《한국의 생태사상》, 돌베개, 1999

법정, 《시작할 때 그 마음으로》, 책읽는섬, 2017

왕가리 마타이, 《지구를 가꾼다는 것에 대하여》, 민음사, 2012

윤홍식, 『대학(인간의 길을 열다)』, 봉황동래, 2005

임자헌, 《마음챙김의 인문학》, 포르체, 2021

장유승 외 5인, 《하루한시》, 샘터, 2015

정길수, 《길 위의 노래》, 돌베개, 2006

최승범, 《인생의 소중한 지혜-퇴계가훈으로 배우는》, 새론북스, 2002

최지녀, 《개구리 울음소리》, 돌베개, 2006.